MARINA

DU MÊME AUTEUR

Chez le même éditeur

Le Jeu de l'ange, 2009

CARLOS RUIZ ZAFÓN

MARINA

roman

traduit de l'espagnol par François Maspero

ROBERT LAFFONT

Titre original : MARINA

ISBN 978-2-221-11652-4
(édition originale : ISBN 978-84-08-08229-3
Editorial Planeta, S.A., Barcelone)

Pour Jaume Mateu Adrover, dont,
tôt ou tard,
le nom devait finir dans un livre,
et pour Antonio Verdasca,
dont la science pourrait en remplir
bien d'autres.

Nous ne nous souvenons que de ce qui n'est jamais arrivé, m'a dit un jour Marina. Il aura fallu que s'écoule une éternité pour que je finisse par comprendre le sens de ces mots. Mais mieux vaut commencer par le début, qui, dans cette histoire, se trouve être la fin.

En mai 1980, j'ai disparu du monde pendant une semaine. Sept jours et sept nuits durant, nul n'a su où j'étais. Amis, camarades, professeurs et même la police se sont lancés à la recherche de ce fugitif que déjà certains croyaient mort ou devenu soudain amnésique et perdu dans des rues mal famées.

Une semaine plus tard, un policier en civil a cru me reconnaître : la description du garçon disparu concordait. Le suspect errait dans la gare de France, comme une âme en peine dans une cathédrale de fer et de brume. L'agent s'est approché de moi avec des précautions dignes d'un roman de la Série noire. Il m'a demandé si je m'appelais bien Óscar Drai et si j'étais le garçon disparu de son internat sans laisser de traces. J'ai acquiescé sans desserrer les dents. Je me souviens du reflet de la voûte de la gare dans ses verres de lunettes.

Nous nous sommes assis sur un banc du quai. Le policier a allumé posément une cigarette. Il l'a laissée se consumer sans la porter à ses lèvres. Il m'a dit qu'il y avait un tas de gens qui m'attendaient pour me poser des questions auxquelles je devais me préparer, afin de leur donner de bonnes réponses. J'ai acquiescé de nouveau. Il m'a regardé dans les yeux, en m'étudiant. « Parfois, a-t-il dit, raconter la vérité n'est pas une bonne idée, Óscar. » Il m'a tendu quelques pièces et m'a demandé de téléphoner au directeur de l'internat. Il a attendu que j'aie terminé, puis m'a donné de l'argent pour un taxi et souhaité bonne chance. Je lui ai demandé comment il savait que je n'allais pas disparaître de nouveau. Il m'a observé longuement. « Seuls disparaissent ceux qui ont un endroit où aller », s'est-il borné à répondre. Il m'a accompagné dans la rue, où il m'a dit adieu sans me questionner davantage. Je l'ai vu s'éloigner dans le Paseo Colón. La fumée de sa cigarette intacte le suivait comme un chien fidèle.

Ce jour-là, le fantôme de Gaudí sculptait dans le ciel de Barcelone des nuages impossibles sur un azur qui blessait les yeux. J'ai pris un taxi pour l'internat où je supposais que m'attendait le peloton d'exécution.

Quatre semaines durant, professeurs et psychologues scolaires m'ont bombardé de questions pour que je leur révèle mon secret. J'ai menti et répondu à chacun ce qu'il voulait entendre ou ce qu'il pouvait accepter. Le temps passant, tous ont fini par faire semblant d'avoir oublié l'épisode. J'ai suivi leur exemple. Je n'ai jamais dit à personne la vérité sur ce qui s'était passé.

Je ne savais pas alors que, tôt ou tard, l'océan du temps nous rend les souvenirs que nous y avons enfouis.

Quinze années après, la mémoire de ce jour m'est revenue. J'ai revu ce garçon errant dans la brume de la gare de France, et le nom de Marina s'est enflammé de nouveau comme une blessure toute fraîche.

Nous avons tous un secret enfermé à double tour dans le tréfonds de notre âme. Voici le mien.

1.

À la fin des années soixante-dix, Barcelone était une fantasmagorie faite d'avenues et de ruelles où l'on pouvait voyager trente ou quarante ans en arrière rien qu'en franchissant le seuil d'un immeuble ou d'un café. Temps et mémoire, histoire et fiction se mélangeaient dans cette ville ensorcelée, comme des couleurs d'aquarelle sous la pluie. C'est là que, lointain écho de rues qui aujourd'hui n'existent plus, des cathédrales et des édifices échappés de légendes ont formé le décor de cette histoire.

J'étais alors un garçon de quinze ans qui languissait entre les murs d'un internat affublé d'un nom de saint, aux abords de la route de Vallvidrera. À l'époque, le quartier de Sarriá conservait encore l'aspect d'un petit village échoué sur la rive d'une métropole moderniste. Mon collège s'élevait en haut d'une rue qui montait du Paseo de la Bonavona. Sa façade monumentale évoquait davantage un château fort qu'une école. Sa silhouette anguleuse couleur d'argile était un empilement de tours, d'arcs et d'ailes tout en noirceur.

Le collège se trouvait au milieu d'un ensemble de

jardins, de fontaines, de bassins croupissants, de patios et de pinèdes enchantées. Tout autour, des bâtiments sombres abritaient des piscines voilées d'une vapeur fantomatique, des gymnases noyés dans le silence et des chapelles ténébreuses où des effigies de saints souriaient au reflet des cierges. Le bâtiment principal avait quatre étages, sans compter les deux sous-sols ainsi que les combles réservés aux quelques prêtres qui faisaient encore fonction de professeurs. Les chambres des pensionnaires étaient au quatrième, le long de couloirs caverneux. Ces galeries interminables étaient plongées dans une pénombre perpétuelle, résonnant toujours d'un écho lugubre.

Je passais mes journées à rêver éveillé dans les salles de cet immense château, attendant le miracle qui se produisait quotidiennement à cinq heures vingt de l'après-midi. À cette heure magique, le soleil revêtait d'or liquide les hautes fenêtres. Une sonnerie annonçait la fin des cours et nous jouissions de presque trois heures de liberté avant le dîner dans le grand réfectoire. En principe, ce temps devait être consacré à l'étude et à la méditation. Durant toutes les années que j'ai passées dans ces murs, je ne me souviens pas de m'être livré, ne serait-ce qu'une seule fois, à l'une ou l'autre de ces nobles tâches.

C'était mon moment préféré. Trompant la surveillance du gardien, je partais explorer la ville. J'avais pris l'habitude de revenir au collège juste à temps pour le dîner, marchant dans les vieilles rues et les avenues pendant que la nuit tombait autour de moi. Ces longues promenades me donnaient une sensation de liberté enivrante. Mon imagination volait au-dessus des constructions et montait jusqu'au ciel. Pour quelques heures, les rues de Barcelone, l'internat, ma chambre sinistre du quatrième étage s'évanouissaient. Pour quelques heures, avec seulement deux ou trois sous en poche, j'étais l'individu le plus fortuné de l'univers.

Mon chemin me conduisait parfois vers ce que l'on appelait alors le désert de Sarriá, qui n'était rien d'autre qu'un semblant de petit bois perdu dans un no man's land. La plupart des vieilles maisons de maître qui avaient jadis peuplé le nord du Paseo de la Bonavona restaient encore debout, même si ce n'étaient plus que des ruines. Les rues qui avoisinaient le collège traçaient une ville fantôme. Des murs envahis par le lierre défendaient l'accès de jardins sauvages au milieu desquels s'élevaient des résidences monumentales. Propriétés envahies par les mauvaises herbes, livrées à l'abandon, où la mémoire paraissait flotter comme une brume qui refuse de partir. Beaucoup de ces grandes résidences n'attendaient plus que leur destruction, et un grand nombre avaient été pillées au long des années. Quelques-unes, pourtant, étaient encore habitées.

Ses occupants étaient les membres oubliés de grandes familles ruinées. Des gens dont les noms s'étaient étalés sur quatre colonnes de *La Vanguardia* au temps où les tramways suscitaient encore la méfiance qui accompagne toute invention moderne. Des otages de leur passé moribond, qui refusaient d'abandonner leur navire à la dérive. Ils n'osaient pas mettre les pieds hors de leurs demeures croulantes, de peur que leur corps ne parte en cendres, emporté par le vent. Prisonniers, ils végétaient à la lueur des candélabres. Parfois, quand je passais en me hâtant devant ces grilles rouillées, il me semblait que des regards méfiants me suivaient de derrière les volets dont la peinture n'était plus qu'un souvenir.

Une après-midi, vers la fin de septembre 1979, le hasard fit que je décidai de m'aventurer dans une de ces avenues semées de grandes villas modernistes que je n'avais pas encore explorées. La voie décrivait une courbe qui se terminait par une grille pareille à beaucoup d'autres. Au-delà s'étendaient les vestiges d'un ancien jardin marqué par des décennies d'abandon. À travers la végétation, on apercevait la silhouette d'une maison de deux étages. Sa façade noircie s'élevait derrière une fontaine portant des sculptures que le temps avait revêtues de mousse.

La nuit tombait et l'endroit me parut quelque peu sinistre. Il y régnait un silence mortel : seule la brise chuchotait un avertissement sans paroles. Je compris que j'étais entré dans une des zones « mortes » du quartier. Je décidai que le mieux serait de revenir sur mes pas et de rentrer au collège. J'en étais à hésiter encore entre le bon sens et la fascination morbide que ce lieu exerçait sur moi, quand j'aperçus deux yeux jaunes qui brillaient dans l'ombre, plantés sur moi comme des poignards. Ma gorge se serra.

Le pelage gris et velouté d'un chat se dessinait, immobile devant la grille de la demeure. Un petit moineau agonisait entre ses crocs. Une clochette d'argent pendait au cou du félin. Son regard m'étudia durant quelques secondes. Puis il fit demi-tour et se faufila entre les barreaux de métal. Je le vis disparaître dans l'immensité de cet Éden maudit, emportant le moineau pour son dernier voyage.

La vision de cette petite bête hautaine qui avait semblé me défier m'impressionna. À en juger par son pelage lustré et sa clochette, il devait avoir un propriétaire. Peut-être cette demeure abritait-elle autre chose que les fantômes d'une Barcelone disparue. Je m'approchai et posai les mains sur les barreaux de l'entrée. Les dernières lueurs du crépuscule éclairaient la trace que les gouttes de sang du moineau avaient laissée dans cette jungle : des perles écarlates dessinant un chemin dans le labyrinthe. J'avalai ma salive. Ou, plutôt, j'essayai. J'avais la bouche sèche. Je sentais mon sang battre très fort dans mes tempes, comme s'il savait quelque chose que j'ignorais. Là-dessus, la grille céda sous mon poids et je compris qu'elle n'était pas fermée à clef.

Tandis que je faisais le premier pas vers l'intérieur, la lune éclairait les visages livides des anges de pierre de la fontaine. Ils m'observaient. Mes pieds restèrent rivés au sol. Je m'attendais à ce que ces créatures bondissent de leurs socles et se transforment en démons armés de griffes de loup et de langues de serpent. Rien de cela n'arriva. Je respirai profondément et considérai de nouveau la situation : ou je parvenais à maîtriser mon imagination, ou, plus raisonnablement, je renonçais à ma timide exploration de cette propriété. Une fois de plus, quelqu'un décida pour moi. Un son céleste se répandit comme un parfum sur les ombres du jardin. J'écoutai ce murmure et discernai un chant accompagné au piano. C'était la voix la plus merveilleuse que j'avais jamais entendue.

La mélodie me parut familière, mais je ne parvins pas à la reconnaître. La musique venait de la maison.

Je suivis sa trace hypnotique. Des rais de lumière vaporeuse filtraient de la porte entrouverte d'une galerie vitrée. Je reconnus les yeux du chat qui me fixaient du haut de l'appui d'une fenêtre du premier étage. J'approchai de la galerie éclairée d'où provenaient ces sons indescriptibles. La voix d'une femme. Le halo ténu de cent bougies éclairait l'intérieur d'une lumière vacillante. Il révélait le pavillon doré d'un antique gramophone sur lequel tournait un disque. Sans réfléchir à ce que je faisais, je me surpris moi-même en pénétrant dans la galerie, captivé par cette sirène prisonnière du gramophone. Sur la table qui portait l'appareil, je distinguai un objet brillant et sphérique. C'était une montre de poche. Je la pris et l'examinai à la lueur des bougies. Les aiguilles étaient arrêtées et le boîtier brisé. Elle me parut être en or et aussi vieille que la maison elle-même. Un peu plus loin, un grand fauteuil me tournait le dos, faisant face à une cheminée au-dessus de laquelle je pus distinguer un tableau représentant une femme vêtue de blanc. Ses grands yeux gris, tristes et sans fond dominaient la pièce.

Tout à coup, l'enchantement vola en éclats. Une silhouette se leva du fauteuil et se tourna dans ma direction. Une longue chevelure blanche et des yeux brillants comme des braises scintillèrent dans l'obscurité. Je parvins seulement à voir deux immenses mains blanches qui se tendaient vers moi. Pris de panique, je me précipitai vers la porte, je heurtai le gramophone et le fis tomber. J'entendis l'aiguille lacérer le disque. La voix céleste se brisa avec un gémissement infernal. Je courus vers le jardin, sentant ces mains frôler ma chemise, et je le traversai avec des ailes aux pieds et une peur qui brûlait dans chaque pore de mon corps. Impossible de m'arrêter. Je courus, encore et encore, jusqu'à ce qu'une violente douleur me taraude les côtes et que je comprenne que je ne pouvais presque plus respirer. Quand je m'arrêtai enfin, j'étais couvert d'une sueur glacée et les lumières du collège brillaient à trente mètres de là.

Je me glissai par une porte voisine des cuisines qui n'était jamais gardée et me traînai jusqu'à ma chambre. Les autres pensionnaires devaient déjà être au réfectoire depuis un bon moment. J'essuyai la sueur de mon front et, peu à peu, mon cœur retrouva son rythme habituel. Je commençais à me calmer quand quelqu'un frappa à la porte de la chambre.

— Óscar, il est temps de descendre pour le dîner, annonça la voix du père Seguí, le professeur qui faisait pour moi office de tuteur, un jésuite rationaliste qui détestait jouer les policiers.

— Tout de suite, mon père. Juste une seconde.

Je me dépêchai d'enfiler la veste de rigueur et éteignis la lumière de la chambre. À travers la fenêtre, le spectre de la lune montait au-dessus de Barcelone. C'est seulement alors que je me rendis compte que je tenais encore la montre dans ma main.

2.

Les jours suivants, cette maudite montre et moi devînmes des compagnons inséparables. Je l'emportais partout, et même la nuit je dormais en la glissant sous mon oreiller, dans la crainte que quelqu'un ne la trouve et me demande où je l'avais prise. Je n'aurais pas su quoi répondre : « Tu ne l'as pas trouvée, tu l'as volée », me chuchotait une voix accusatrice. « Le terme technique est vol avec violation de domicile », ajoutait cette voix qui, pour quelque étrange raison, présentait une ressemblance suspecte avec celle de l'acteur qui doublait Perry Mason.

Tous les soirs, j'attendais patiemment que mes camarades soient endormis pour examiner mon trésor. Quand le silence s'était fait, je scrutais la montre à la lueur d'une lampe de poche. Toute la culpabilité du monde n'aurait pu entamer la fascination que me produisait le butin de ma première aventure dans le « crime désorganisé ». La montre était lourde et semblait fabriquée en or massif. Le verre brisé suggérait un coup ou une chute. Je supposai que c'était cet impact qui avait mis fin à la vie de son mécanisme et condamné les aiguilles à rester congelées pour l'éternité à six heures vingt-trois. Au revers, on lisait une inscription :

Pour Germán, en qui parle la lumière
K. A.
19-1-1964

L'idée me vint que cette montre devait valoir une fortune, et les remords ne tardèrent pas à me visiter. Ces mots gravés me donnaient l'impression d'être un voleur de souvenirs.

Un sombre jeudi de pluie, je décidai de partager mon secret. Mon meilleur ami au collège était un garçon au regard pénétrant et au tempérament nerveux qui insistait pour se faire appeler JF, bien que ces initiales n'aient que bien peu ou même rien du tout à voir avec son vrai nom. JF avait une âme de poète libertaire et un esprit si aiguisé qu'il lui arrivait parfois de se couper la langue avec. Il était de constitution si fragile que le seul mot *microbe* prononcé dans un rayon d'un kilomètre à la ronde suffisait pour qu'il s'imagine avoir attrapé une infection. Un jour, j'avais cherché dans le dictionnaire le mot *hypocondriaque,* et j'avais copié l'article.

— Je ne sais pas si tu es au courant, mais ta biographie figure dans le Dictionnaire de l'Académie royale, lui avais-je annoncé.

— Va donc plutôt chercher à la lettre *i* le mot *idiot,* et tu verras que je ne suis pas le seul à être célèbre, avait répliqué JF.

Ce jour-là, pendant la récréation de midi, nous nous

glissâmes, JF et moi, dans la ténébreuse salle des fêtes. Nos pas dans le couloir central réveillaient l'écho de cent ombres marchant sur la pointe des pieds. Deux minces faisceaux de lumière tombaient sur la scène couverte de poussière. Nous nous assîmes au centre de cette tache lumineuse, face aux rangées de sièges vides qui se perdaient dans la pénombre. Le murmure de la pluie griffait les verrières du premier étage.

— Eh bien ? me lança JF. Pourquoi tout ce mystère ?

Sans dire un mot, je sortis la montre et la lui tendis. Il haussa les sourcils et observa l'objet. L'examen minutieux dura quelques instants, avant qu'il me le rende avec un regard intrigué.

— Qu'est-ce que tu en penses ? demandai-je.

— Je pense que c'est une montre, rétorqua JF. Qui est ce Germán ?

— Je n'en ai pas la moindre idée.

Je me mis en devoir de lui conter dans tous les détails ma récente aventure dans cette grande maison délabrée. JF suivit attentivement mon récit avec la patience et le sérieux quasi scientifiques qui le caractérisaient. Quand j'eus terminé, il sembla soupeser l'affaire avant de formuler ses premières impressions.

— Autrement dit, tu l'as volée, conclut-il.

— Ce n'est pas la question, objectai-je.

— Il serait intéressant de connaître l'opinion du dénommé Germán.

— Le dénommé Germán est probablement mort depuis belle lurette, suggérai-je sans beaucoup de conviction.

JF se frotta le menton.

— Je me demande ce qui dit le Code pénal à propos

du vol avec préméditation d'objets personnels et de montres portant une dédicace..., insista mon ami.

— Il n'y a pas eu de préméditation ni rien de tout ça, protestai-je. Tout s'est passé très vite, sans que j'aie le temps de réfléchir. Quand je me suis rendu compte que j'avais gardé la montre, il était trop tard. À ma place, tu aurais fait la même chose.

— À ta place, j'aurais eu un arrêt du cœur, rectifia JF, qui était plus doué pour la parole que pour l'action. En supposant que j'aie été assez fou pour pénétrer dans cette maison en suivant un chat luciférien. Tu te rends compte de tous les germes que peut vous refiler une bête comme celle-là ?

Nous gardâmes le silence pendant quelques secondes en écoutant l'écho lointain de la pluie.

— Bon, conclut JF. Ce qui est fait est fait. Tu ne penses pas retourner là-bas, n'est-ce pas ?

Je souris.

— Seul, non.

Mon ami ouvrit des yeux grands comme des soucoupes.

— Ah non alors ! Pas question !

Le soir même, après la fin des cours, nous nous échappâmes, JF et moi, par la porte des cuisines pour gagner la rue mystérieuse qui menait à la vieille demeure. Les pavés étaient couverts de flaques et de feuilles mortes. Un ciel menaçant plombait la ville. JF n'en menait pas large et était encore plus pâle que d'habitude. La vision de ce lieu écarté, retenu dans les mailles du passé, réduisait son estomac au volume d'une bille. Le silence était assourdissant.

— Je pense que nous devrions faire demi-tour et

nous éloigner d'ici, murmura-t-il en reculant de plusieurs pas.

— Ne fais pas ta poule mouillée.

— Les gens n'apprécient pas les poules à leur juste valeur. Sans elles il n'y aurait pas d'œufs ni de…

Soudain, le tintement d'une clochette flotta dans le vent. JF se tut. Les yeux jaunes du chat nous guettaient. Et aussitôt, la bête siffla comme un serpent, en sortant ses griffes. Les poils de son échine se hérissèrent et ses babines se retroussèrent sur les crocs qui, la fois précédente, avaient mis fin aux jours du moineau. Un éclair lointain alluma une flambée de lumière dans la voûte du ciel. JF et moi échangeâmes un regard.

Quinze minutes plus tard, nous étions assis sur un banc près du bassin du cloître de l'internat. La montre était toujours dans la poche de ma veste. Plus lourde que jamais.

Elle y resta tout le reste de la semaine jusqu'au samedi matin. Peu avant l'aube, je m'éveillai avec la vague sensation d'avoir rêvé de la voix captive du gramophone. De l'autre côté de ma fenêtre, Barcelone naissait à la lumière dans un tissu d'ombres écarlates, une forêt d'antennes et de terrasses. Je sautai du lit et cherchai la maudite montre qui, depuis quelques jours, avait jeté comme un charme maléfique sur mon existence. Nous nous dévisageâmes mutuellement. Finalement, je m'armai d'une détermination qui ne nous vient que lorsque nous devons affronter des tâches absurdes, et je décidai de mettre un terme à cette situation. J'allais la rendre.

Je m'habillai en silence et traversai le corridor obscur

du quatrième étage sur la pointe des pieds. Personne ne s'apercevrait de mon absence avant dix ou onze heures du matin. Et j'espérais bien être de retour avant.

Dehors, les rues gisaient sous ce trouble manteau de pourpre qui couvre les aurores de Barcelone. Je descendis jusqu'à la rue Margenat. Autour de moi, Sarriá s'éveillait. Des nuages bas balayaient le quartier en capturant les premières lueurs dans un halo doré. Les façades des maisons apparaissaient dans les éclaircies de la brume et des amas de feuilles mortes qui tourbillonnaient çà et là.

Je ne tardai pas à trouver la rue. Je m'arrêtai un instant pour m'imprégner de ce silence, de cette étrange paix qui régnait dans ces confins perdus de la ville. Je commençais à sentir que le monde s'était arrêté comme la montre que je portais dans ma poche, quand j'entendis un bruit derrière moi.

Je me retournai et me trouvai devant une vision qui semblait échappée d'un rêve.

3.

Une bicyclette émergeait lentement de la brume. Une fille en robe blanche montait la côte en pédalant dans ma direction. Dans le contre-jour de l'aube, je pouvais deviner les formes de son corps à travers le tissu de coton. De longs cheveux couleur de foin flottaient devant son visage. Je restai planté là, immobile, à la regarder s'approcher, comme un imbécile soudain frappé de paralysie. La bicyclette s'arrêta à quelques mètres. Mes yeux, ou mon imagination, suivirent le contour des jambes graciles tandis que leur propriétaire mettait pied à terre. Mon regard remonta le long de cette robe échappée d'un tableau de Sorolla pour s'arrêter aux yeux, d'un gris si profond que l'on pouvait s'y perdre. Ils me fixaient ironiquement. Je souris et lui offris mon plus bel air d'idiot du village.

— Tu dois être le garçon de la montre, dit la fille sur un ton qui s'accordait avec l'acuité de son regard.

J'estimai qu'elle devait avoir mon âge, peut-être un an de plus. Pour moi, deviner l'âge d'une femme était un art ou une science, bref tout sauf un réflexe banal. Son teint était aussi pâle que sa robe.

— Tu habites ici ? balbutiai-je en indiquant la grille.

Elle ne cilla pas. Ces yeux me transperçaient avec une telle force qu'il me fallut ensuite deux bonnes heures pour me rendre compte qu'en ce qui me concernait cette créature était l'apparition la plus fascinante que j'avais vue ou que j'espérais voir depuis que j'étais né.

— Et qui es-tu, toi, pour me questionner ?

J'improvisai :

— Je suppose que je suis le garçon de la montre. Je m'appelle Óscar Drai. Je suis venu la rendre.

Sans lui donner le temps de répondre, je tirai l'objet de ma poche et le lui tendis. La fille soutint mon regard pendant quelques secondes avant de le saisir. Je pus constater que sa main était blanche comme neige et qu'un anneau doré brillait à l'annulaire.

— Elle était déjà cassée quand je l'ai prise, expliquai-je.

— Ça fait quinze ans qu'elle est cassée, murmura-t-elle sans me regarder.

Quand elle me fixa de nouveau, ce fut pour m'examiner des pieds à la tête, comme on évalue un vieux meuble sorti d'un débarras. Quelque chose dans ses yeux me dit qu'elle n'accordait pas beaucoup de crédit à ma qualité de voleur ; elle me cataloguait probablement dans la catégorie des crétins ou des niais patentés. Elle haussa un sourcil tout en esquissant un sourire énigmatique et me rendit la montre.

— Puisque tu l'as volée, tu la rendras toi-même à son propriétaire.

— Mais…

— La montre n'est pas à moi, précisa-t-elle. Elle est à Germán.

La mention de ce nom fit apparaître la vision de l'énorme silhouette à la chevelure blanche qui m'avait surpris dans la demeure quelques jours plus tôt.

— Germán ?

— Mon père.

— Et toi, qui es-tu ? demandai-je.

— Sa fille.

— Je voulais dire : comment t'appelles-tu ?

— Je sais parfaitement ce que tu voulais dire, répliqua la fille.

Là-dessus, elle remonta sur sa bicyclette et franchit la grille de l'entrée. Avant de disparaître dans le jardin, elle se retourna brièvement. Ses yeux se moquaient carrément de moi. Je soupirai et la suivis. Une vieille connaissance me souhaita la bienvenue. Le chat me contemplait avec son mépris habituel. J'aurais voulu être un doberman.

Je traversai le jardin, escorté par le félin. J'échappai à cette jungle pour arriver à la fontaine aux chérubins. La bicyclette y était appuyée et sa propriétaire déchargeait un sac du panier fixé devant le guidon. Il sentait le pain frais. Elle sortit une bouteille de lait et s'agenouilla pour remplir un bol posé sur le sol. Comme une flèche, l'animal bondit sur son petit déjeuner. Il devait s'agir d'un rite quotidien.

— Je croyais que ton chat ne mangeait que des petits oiseaux sans défense, dis-je.

— Il les chasse. Il ne les mange pas. C'est une question de territoire, expliqua-t-elle comme elle l'aurait fait à un enfant. Ce qu'il aime, c'est le lait. Pas vrai, Kafka, que tu aimes le lait ?

Le félin kafkaïen lui lécha les doigts en signe d'assentiment. La fille sourit affectueusement tout en lui caressant le dos. Ce faisant, ses muscles se dessinèrent sous les plis de sa robe. Juste à cet instant, elle leva les yeux et me surprit en train de l'observer en me passant la langue sur les lèvres.

— Et toi ? Tu as pris ton petit déjeuner ? questionna-t-elle.

Je fis non de la tête.

— Alors, tu dois avoir faim. Tous les idiots ont faim. Viens, entre et mange quelque chose. Il vaut mieux que tu aies l'estomac plein quand tu devras expliquer à Germán pourquoi tu lui as volé sa montre.

La cuisine était une vaste salle située dans la partie arrière de la maison. Mon petit déjeuner inespéré consistait en croissants que la fille avait rapportés de la pâtisserie Foix, sur la place de Sarriá. Elle me servit un énorme bol de café au lait et s'assit en face de moi pendant que je dévorais ce festin avec avidité. Elle me contemplait comme si elle avait recueilli un mendiant affamé, avec un mélange de curiosité, de pitié et de méfiance. Elle ne mangea rien.

— Je t'ai déjà vu dans les parages, commenta-t-elle sans me quitter des yeux. Toi, et ce gamin souffreteux et toujours effaré. Vous passez souvent dans les rues derrière chez nous quand vous sortez de l'internat. Parfois tu es seul, et tu chantonnes d'un air dégagé. Je parie que ça t'amuse beaucoup de te promener dans ce quartier perdu…

J'étais sur le point de trouver quelque chose de spirituel à lui répondre, quand une ombre immense se répandit au-dessus de la table comme un nuage d'encre. Mon hôtesse leva les yeux et sourit. Je restai immobile, la bouche pleine de croissant et le cœur jouant des castagnettes.

— Nous avons de la visite, dit-elle, amusée. Papa, je te présente Óscar Drai, voleur de montres amateur. Óscar, voici mon père, Germán.

J'avalai le croissant d'un coup et me retournai lentement. Une silhouette qui me parut très haute se dressait devant moi. Elle portait un complet d'alpaga avec gilet et cravate. Une chevelure blanche soigneusement rejetée en arrière lui tombait sur les épaules. Une moustache grise barrait un visage buriné et anguleux autour de deux yeux noirs et tristes. Mais ce qui la définissait réellement, c'étaient les mains. Des mains blanches d'ange, aux doigts fins et interminables. Germán.

— Je ne suis pas un voleur, monsieur, articulai-je nerveusement. Je vais tout vous expliquer. Si j'ai osé m'aventurer dans votre maison, c'est que je la croyais inhabitée. Une fois à l'intérieur, je ne sais pas ce qui s'est passé, j'ai entendu cette musique, enfin ce n'est pas tout à fait ça, mais bon, toujours est-il que je suis entré et que j'ai vu la montre. Je ne pensais pas la voler, je vous jure, mais j'ai pris peur et quand je me suis rendu compte que je l'avais gardée, j'étais déjà loin. Enfin, je ne sais pas comment vous dire…

La fille souriait malicieusement. Les yeux de Germán se posèrent sur moi, obscurs et impénétrables. Je fouillai dans ma poche et lui tendis la montre, sûr que, d'un moment à l'autre, cet homme allait se mettre à crier et à me menacer d'appeler la police, la garde civile et le tribunal des mineurs.

— Je vous crois, dit-il aimablement en acceptant la montre et en s'asseyant à table près de nous.

Sa voix était douce, presque inaudible. Sa fille lui servit deux croissants sur une assiette avec un bol de café au lait pareil au mien. Ce faisant, elle posa un baiser sur son front tandis qu'il la serrait dans ses bras. Je les contemplai dans le contre-jour de la lumière qui filtrait des volets. Le visage de Germán, que j'avais imaginé comme celui d'un ogre, devint délicat, presque maladif. Il était grand et extraordinairement mince. Il me sourit d'un air affable tout en portant le bol à ses lèvres et, pendant un instant, je constatai qu'entre le père et la fille circulait un courant d'affection qui allait bien au-delà des paroles et des gestes. Un lien fait de silence et de regards les unissait dans l'ombre de cette maison, au bout d'une rue oubliée, où ils s'occupaient l'un de l'autre, loin du monde.

Germán termina son petit déjeuner et me remercia cordialement d'avoir pris la peine de venir lui rendre la montre. Devant tant d'amabilité, je me sentis doublement coupable.

— Eh bien, Óscar, dit-il d'une voix fatiguée, ce fut un plaisir de faire votre connaissance. J'espère vous revoir par ici quand l'envie vous viendra de nous faire une nouvelle visite.

Je ne comprenais pas pourquoi il s'obstinait à me donner du « vous ». Il y avait quelque chose chez lui qui évoquait une autre époque, d'autres temps, où cette chevelure blanche avait rayonné et où cette demeure avait été un hôtel particulier à mi-distance de Sarriá et du ciel. Il me serra la main et prit congé pour s'enfoncer dans ce labyrinthe insondable. Je le vis s'éloigner dans le couloir en boitant légèrement. Sa fille l'observait en dissimulant la tristesse qui voilait son regard.

— La santé de Germán n'est pas très bonne, murmura-t-elle. Il se fatigue facilement.

Puis, tout de suite, elle effaça son expression mélancolique.

— Tu veux encore manger quelque chose ?

— Il se fait tard, dis-je, en combattant la tentation d'accepter n'importe quelle excuse pour prolonger mon séjour en sa compagnie. Je crois qu'il vaut mieux que je rentre.

Elle prit acte de ma décision et m'accompagna dans le jardin. La lumière matinale avait dissipé la brume. L'automne commençant teintait les arbres de couleurs cuivrées. Nous marchâmes vers la grille. Kafka ronronnait en nous suivant. Une fois là, elle resta à l'intérieur de la propriété et me céda le passage. Nous nous regardâmes en silence. Elle me tendit la main et je la serrai. Je pus sentir le sang battre sous sa peau satinée.

— Merci pour tout, dis-je. Et pardon pour…

— C'est sans importance.

Je haussai les épaules.

— Alors…

Je redescendis la rue en sentant la magie de cette maison se détacher de moi à chaque pas que je faisais. Soudain, sa voix retentit dans mon dos.

— Óscar !

Je me retournai. Elle était toujours là, derrière la grille. Kafka était à ses pieds.

— Pourquoi es-tu entré chez nous l'autre soir ?

Je regardai autour de moi comme si j'espérais trouver la réponse écrite sur les pavés.

— Je ne sais pas, admis-je finalement. Le mystère, je suppose…

La fille eut un sourire énigmatique.

— Tu aimes les mystères ?

J'acquiesçai de la tête. Je crois que si elle m'avait demandé si j'aimais l'arsenic, ma réponse aurait été la même.

— Tu as quelque chose à faire, demain ?

Toujours en silence, je fis signe que non. Si oui, je trouverais bien une excuse. Comme voleur je ne valais pas un centime, mais comme menteur, je dois avouer que j'ai toujours été un artiste.

— Dans ce cas, sois ici à neuf heures, lança-t-elle en disparaissant dans les ombres du jardin.

— Attends !

Mon cri l'arrêta.

— Tu ne m'as pas dit comment tu t'appelles…

— Marina… À demain.

Je la saluai de la main, mais elle s'était déjà évanouie. J'attendis en vain que Marina réapparaisse. Le soleil frôlait le zénith, midi n'était pas loin. Lorsque j'eus compris qu'elle ne reviendrait pas, je pris le chemin du collège. Les vieux portails du quartier semblaient me sourire. Je pouvais entendre l'écho de mes pas, mais j'aurais juré que je planais à quelques centimètres du sol.

4.

De toute ma vie, je ne crois pas avoir jamais été aussi ponctuel. La ville était encore en pyjama quand je traversai la place de Sarriá. À mon passage, une bande de pigeons s'envola en entendant sonner les cloches de la messe de neuf heures. Un soleil digne d'un chromo faisait briller les traces d'une ondée nocturne. Kafka s'était avancé pour me recevoir au début de la rue qui menait à la grande demeure. Une petite troupe de moineaux se tenait à prudente distance sur le haut d'un mur. Le chat les observait avec une indifférence professionnelle très étudiée.

— Bonjour, Kafka. Avons-nous déjà commis un assassinat ce matin ?

Le chat me répondit par un simple ronronnement et, à l'instar d'un majordome flegmatique, il tint à me guider à travers le jardin jusqu'à la fontaine. Je distinguai la silhouette de Marina assise sur le bord, vêtue d'une robe de couleur ivoire qui laissait ses épaules découvertes. Elle tenait à la main un cahier relié en cuir sur lequel elle écrivait avec un stylo. Son visage trahissait une grande concentration et elle ne perçut pas ma présence. Son esprit semblait parti dans un autre monde, ce qui me permit de rester quelques instants à l'observer, bouche bée. Je décidai que seul Léonard de Vinci avait pu dessiner ces clavicules ; il n'y avait pas d'autre explication. Jaloux, Kafka rompit le charme par un miaulement. Le stylo s'arrêta d'un coup, les yeux de Marina se levèrent vers les miens. Tout de suite, elle ferma le cahier.

— Tu es prêt ?

Marina me guida dans les rues de Sarriá en suivant un itinéraire inconnu et sans autre indice de ses intentions qu'un sourire mystérieux.

— Où allons-nous ? demandai-je au bout de quelques minutes.

— Patience. Tu verras.

Je la suivis docilement, tout en ruminant le soupçon d'être l'objet d'une blague pour le moment incompréhensible. Nous descendîmes jusqu'au Paseo de la Bonavona et, de là, nous tournâmes dans la direction de San Gervasio. Nous passâmes devant le trou noir du bar Víctor. Un groupe de minets, retranchés derrière leurs lunettes de soleil, se tapaient quelques bières et chauffaient nonchalamment la selle de leurs Vespa. En nous voyant passer, certains jugèrent bon de baisser leur Ray Ban à mi-nez pour procéder à une radiographie de Marina. Je leur souhaitai intérieurement une bonne dose de plomb dans les fesses.

Une fois arrivés rue du Docteur-Roux, Marina obliqua à droite. Nous descendîmes, en dépassant plusieurs pâtés de maisons, pour atteindre un petit chemin de terre qui débutait à la hauteur du n° 112. Le sourire énigmatique scellait toujours les lèvres de Marina.

— C'est ici ? demandai-je, intrigué.

Ce sentier semblait ne conduire nulle part. Sans prendre la peine de me répondre, Marina s'y engagea. Au bout, un chemin montait vers un portail flanqué de cyprès. Et au-delà s'étendait, pâle sous des ombres bleuâtres, un jardin enchanté peuplé de dalles, de croix et de mausolées couverts de moisissures. Le vieux cimetière de Sarriá.

Le cimetière de Sarriá est un des lieux les plus cachés de Barcelone. Inutile de le chercher sur les plans, il n'y figure pas. Inutile de demander comment s'y rendre aux habitants ou aux chauffeurs de taxi, on peut être presque sûr qu'ils avoueront l'ignorer, même si tous en ont entendu parler. Et si, malgré tout, on s'aventure à le chercher soi-même, le plus probable est qu'on se perdra. Les quelques rares personnes qui possèdent le secret de son emplacement soupçonnent qu'en réalité ce vieux cimetière n'est rien d'autre qu'un îlot du passé qui apparaît et disparaît au gré de son caprice.

Tel fut le décor dans lequel Marina me conduisit en ce dimanche de septembre pour me dévoiler un mystère qui m'intriguait presque autant que sa détentrice. Suivant ses instructions, nous nous installâmes dans un coin discret en haut de l'aile nord de l'enceinte. De là, nous avions une bonne vue sur le cimetière solitaire. Nous nous assîmes en silence pour contempler les tombes et les fleurs fanées. Marina ne soufflait mot et, au bout de quelques minutes, je commençai à m'impatienter. Le seul mystère que je voyais dans tout ça était celui de savoir ce que diable nous faisions là.

— C'est un peu mort, suggérai-je, conscient de l'ironie.

— La patience est la mère de la science, prononça-t-elle.

— Et la belle-mère de la démence, répliquai-je. Il n'y a rien de rien, ici.

Marina m'adressa un regard que je ne pus déchiffrer.

— Tu te trompes. Il y a les souvenirs de centaines de personnes, leurs vies, leurs sentiments, leurs illusions, leur absence, les rêves qu'elles n'ont jamais pu réaliser, les déceptions, les trahisons, les amours non partagées qui ont empoisonné leurs vies… Tout ça est ici, retenu pour l'éternité.

Je l'observai, perplexe et un peu impressionné, tout en ne sachant pas très bien de quoi elle parlait. Mais, quoi que ce fût, c'était important pour elle.

— On ne peut rien comprendre à la vie tant qu'on n'a rien compris à la mort, ajouta Marina.

Encore une fois, je n'arrivai pas à bien saisir le sens de ses paroles.

— À la vérité, dis-je, je n'y pense pas beaucoup. Je veux dire à la mort. En tout cas, pas sérieusement…

Marina hocha la tête, comme un médecin qui reconnaît les symptômes d'une maladie fatale.

— C'est donc que tu es de ces pauvres types qui ne sont pas au courant, ajouta-t-elle, d'un air entendu.

— Pas au courant ?

Maintenant, j'étais vraiment perdu. À cent pour cent.

Marina imprima à son regard et à son visage un air de gravité qui la faisait paraître plus âgée. J'étais hypnotisé.

— Je suppose que tu ne connais pas la légende, commença-t-elle.

— La légende ?

— C'est bien ce que je pensais, constata-t-elle. On dit que la mort a des émissaires qui parcourent les rues à la recherche d'ignorants et de têtes creuses qui ne pensent pas à elle.

Arrivée à ce point, elle planta ses pupilles dans les miennes.

— Quand un de ces malheureux tombe sur un émissaire de la mort, poursuivit-elle, celui-ci le guide vers un piège sans qu'il s'en rende compte. Une porte de l'enfer. Ces émissaires se couvrent le visage pour cacher qu'ils n'ont pas d'yeux, juste deux trous noirs grouillants de vers. Quand il n'y a plus d'échappatoire, ils révèlent leur visage et la victime comprend l'horreur qui l'attend…

L'écho de son récit flotta dans l'air, tandis que je sentais mon estomac se recroqueviller.

À cet instant seulement, Marina laissa échapper son sourire malicieux. Un sourire de chat.

— Tu te paies ma tête, dis-je enfin.

— Bien sûr.

Cinq ou dix minutes de silence suivirent, peut-être même plus. Une éternité. Une brise légère frôlait les cyprès. Deux colombes blanches voletaient parmi les tombes. Une fourmi grimpait le long d'une jambe de mon pantalon. C'était à peu près tout. Rapidement, je sentis que ma jambe commençait à s'endormir et je craignis que mon cerveau ne suive son exemple. J'étais sur le point de protester, quand, avant que j'aie pu ouvrir la bouche, Marina leva la main pour me faire signe de me taire. Elle eut un geste en direction du portail du cimetière.

Quelqu'un venait d'entrer. À ce qu'on pouvait en voir, il s'agissait d'une dame enveloppée dans une cape de velours noir. Un capuchon masquait son visage. Les mains, croisées sur la poitrine, portaient des gants de même couleur. La cape tombait jusqu'à terre et ne permettait pas de distinguer ses pieds. De loin, on eût dit que cette forme privée de visage se déplaçait sans toucher le sol. Sans vraiment savoir pourquoi, cette vision me fit frissonner.

— Qui… ? chuchotai-je.

— Chut ! m'intima Marina.

Cachés derrière les piliers de la balustrade, nous épiâmes la dame en noir. Elle marchait entre les tombes comme une apparition. Elle tenait une rose rouge entre ses doigts gantés. La fleur faisait penser à une blessure toute fraîche taillée au couteau. La femme s'approcha d'une dalle située juste au-dessous de notre poste d'observation et s'arrêta en nous tournant le dos. Pour la première fois, je remarquai que cette tombe, à la différence de toutes les autres, ne portait pas de nom. On pouvait juste discerner une inscription gravée dans le marbre : un symbole qui semblait représenter un insecte, un papillon noir aux ailes déployées.

La dame en noir demeura quelque cinq minutes, en silence, au pied de la tombe. Puis elle s'inclina, déposa la rose rouge sur la dalle et repartit lentement, ainsi qu'elle était venue. Toujours comme une apparition.

Marina m'adressa un regard nerveux et se rapprocha pour me chuchoter quelque chose. Je sentis ses lèvres frôler mon oreille et un mille-pattes de feu se mit à danser la samba dans ma nuque.

— Je l'ai découverte par hasard il y a trois mois, quand je suis venue avec Germán porter des fleurs à sa tante Reme… Elle vient ici tous les derniers dimanches du mois et laisse chaque fois une rose identique sur cette tombe, expliqua Marina. Elle porte toujours la même cape, les mêmes gants et le même capuchon. Elle est toujours seule. On ne voit jamais ses traits. Elle ne parle jamais à personne.

— Qui est enterré dans cette tombe ?

L'étrange symbole gravé dans le marbre piquait ma curiosité.

— Je ne sais pas. Aucun nom n'est mentionné sur le registre du cimetière…

— Et qui est cette femme ?

Marina allait répondre quand elle aperçut la silhouette en train de disparaître par le portail du cimetière. Elle m'attrapa par la main et se leva d'un bond.

— Vite. On va la perdre.

— Tu veux qu'on la suive ?

— Tu voulais de l'action, non ? me dit-elle, d'un ton mi-peiné, mi-irrité, comme si j'étais décidément un parfait ahuri.

Au moment où nous atteignions la rue du Docteur-Roux, la femme en noir s'éloignait vers la Bonavona.

La pluie revenait, bien que le soleil refuse de se cacher. Nous suivîmes la dame à travers ce voile de larmes d'or. Nous traversâmes le Paseo de la Bonavona et montâmes vers les pentes des collines, peuplées de résidences et d'hôtels particuliers qui avaient connu des temps meilleurs. La femme pénétra dans le lacis de rues désertes. Une couche de feuilles mortes les recouvrait, brillantes comme les écailles abandonnées par un grand serpent. Puis elle s'arrêta à un croisement, telle une statue vivante.

— Elle nous a vus…, murmurai-je, en me réfugiant avec Marina derrière un gros tronc d'arbre griffé d'inscriptions.

Un instant, j'eus peur qu'elle ne revienne sur ses pas et nous découvre. Mais non. Peu après, elle tourna à gauche et disparut. Nous nous regardâmes. Nous reprîmes notre filature. Celle-ci nous conduisit dans une ruelle sans issue, coupée par la ligne du chemin de fer montant de Sarriá vers Vallvidrera et Sant Cugat, juste à l'endroit où elle émergeait à ciel ouvert. Nous nous arrêtâmes là. Il n'y avait plus trace de la dame en noir, que nous avions vue pourtant tourner juste à cet endroit. Au loin, par-dessus les arbres et les toits, on distinguait les tours de l'internat.

— Elle a dû rentrer chez elle, suggérai-je. Elle doit habiter par ici…

— Non. Ces maisons sont inhabitées. Personne ne vit ici.

Marina me montra les façades cachées derrière des grilles et des murs. Quelques entrepôts et une énorme villa dévorée par les flammes depuis des dizaines d'années étaient tout ce qui restait debout. La dame s'était volatilisée sous notre nez.

Nous entrâmes dans la ruelle. À nos pieds, une flaque reflétait un morceau de ciel. Les gouttes de pluie y brouillaient notre image. Au bout de l'impasse, le vent faisait battre une grosse porte en bois. Marina me regarda en silence. Nous nous approchâmes précautionneusement, et je jetai un coup d'œil de l'autre côté. La porte, ménagée dans un mur de briques rouges, donnait sur un enclos. Ce qui avait été jadis un jardin était aujourd'hui entièrement livré à la végétation sauvage. Derrière leur épais rideau, on distinguait la façade d'une étrange construction couverte de lierre. Je mis quelques secondes à comprendre qu'il s'agissait d'un jardin d'hiver : les vitres d'une serre sur un squelette d'acier. Les plantes sifflaient comme un essaim à l'affût.

— Toi le premier, m'invita Marina.

Je fis appel à tout mon courage et pénétrai dans la végétation. Sans façon, Marina me prit la main et me suivit. Je sentis mes pas s'enfoncer dans un tapis de décombres. L'image d'un grouillement de serpents noirs aux yeux écarlates me passa par la tête. Nous traversâmes cette jungle et ses branches hostiles qui nous écorchaient la peau pour arriver sur un espace dégagé, juste devant la serre. Une fois là, Marina lâcha ma main pour contempler la sinistre construction. Le lierre tissait une toile d'araignée sur toute l'armature. Ce jardin d'hiver ressemblait à un palais noyé dans les profondeurs d'un marécage.

— J'ai bien peur qu'elle ne nous ait semés, risquai-je. Personne n'a mis les pieds ici depuis des années.

À contrecœur, Marina me donna raison. Elle jeta un dernier coup d'œil sur la serre, l'air déçu. « Les défaites silencieuses sont plus faciles à accepter », pensé-je.

— Viens, allons-nous-en, suggérai-je, en lui tendant la main dans l'espoir qu'elle la prenne de nouveau pour traverser les broussailles.

Marina l'ignora et, fronçant les sourcils, elle s'éloigna pour faire le tour du jardin d'hiver. Je soupirai et la suivis à regret. Cette fille était plus têtue qu'une mule.

— Marina, commençai-je, ne va pas par là…

Je la trouvai derrière la serre, face à ce qui semblait en être l'entrée. Elle me regarda et leva la main vers la vitre. Elle essuya la saleté qui recouvrait une inscription. Je reconnus le papillon noir gravé sur la tombe anonyme du cimetière. Marina appuya dessus. La porte céda lentement. Je pus sentir l'haleine fétide et douceâtre qui s'exhalait de l'intérieur. C'était la puanteur des marais et des puits empoisonnés. Refusant d'écouter le peu de bon sens qui me restait encore, j'entrai dans le jardin d'hiver.

5.

Une odeur fantomatique de parfum et de vieux bois flottait dans l'ombre. Le sol de terre meuble était gorgé d'humidité. Des spirales de vapeur dansaient sous la voûte vitrée. La condensation qui en résultait saignait en gouttes invisibles dans l'obscurité. Un son étrange palpitait au-delà de mon champ de vision. Un murmure métallique comme celui d'une persienne mal fixée.

Marina continuait d'avancer lentement. La température était chaude, humide. Je notai que ma chemise me collait à la peau et qu'une pellicule de sueur se formait sur mon front. Je me retournai vers Marina et pus voir, dans le demi-jour, qu'il en était de même pour elle. Ce bruissement surnaturel s'agitait toujours dans l'ombre. Il semblait venir de tous les côtés.

— Qu'est-ce que c'est ? chuchota Marina, avec une pointe de peur dans la voix.

Je haussai les épaules. Nous poursuivîmes notre progression. Nous nous arrêtâmes à un endroit où convergeaient des filets de lumière filtrant à travers la verrière du toit. Marina allait dire quelque chose, quand nous entendîmes de nouveau le cliquètement sinistre. Tout près. À moins de deux mètres. Directement au-dessus de nos têtes. Nous échangeâmes un regard muet et, lentement, nous levâmes les yeux vers les hauteurs de la serre plongées dans l'ombre. Je sentis la main de Marina serrer très fort la mienne. Elle tremblait. Nous tremblions.

Nous étions cernés. Des silhouettes anguleuses pendaient dans le vide. J'en distinguai une douzaine, peut-être plus. Des jambes, des bras, des mains et des yeux brillant dans les ténèbres. Une meute de corps inertes se balançait au-dessus de nous comme des pantins issus de l'enfer. C'était en se frôlant entre eux qu'ils produisaient ce bruissement métallique. Nous fîmes quelques pas en arrière et, avant que nous ayons pu comprendre ce qui se passait, la cheville de Marina heurta un levier relié à un système de poulies. Le levier céda. En un dixième de seconde, cette armée de silhouettes congelées fut précipitée dans le vide. Je me lançai sur Marina pour la protéger, et nous tombâmes tous les deux face contre terre. J'entendis l'écho d'une violente secousse, et les vibrations de la vieille construction de verre émirent comme un rugissement. J'eus peur que les vitres ne se brisent en répandant une pluie de poignards transparents qui nous cloueraient au sol. À cet instant, je sentis un contact glacé sur ma nuque. Des doigts.

J'ouvris les yeux. Un visage me souriait. Des yeux luisants et jaunes brillaient, sans vie. Des yeux de verre au milieu d'un visage ciselé dans du bois laqué. Et, au même moment, j'entendis, tout contre moi, Marina étouffer un cri.

— Ce sont des mannequins, dis-je, reprenant difficilement mon souffle.

Nous nous relevâmes pour constater la véritable nature de ces êtres. Des pantins. Des figurines de bois, de métal et de faïence. Elles étaient suspendues par mille câbles à des cintres. Le levier actionné involontairement par Marina avait libéré le mécanisme de poulies qui les retenait. Les mannequins s'étaient arrêtés à mi-distance du sol. Ils s'agitaient comme dans un ballet macabre de pendus.

— Que diable… ? s'exclama Marina.

J'observai cette troupe de pantins. Je reconnus un magicien, un policier, une danseuse, une grande dame vêtue de grenat, un hercule de foire… Tous étaient fabriqués à l'échelle réelle et portaient de luxueux déguisements de bal masqué que le temps avait transformés en haillons. Mais il y avait quelque chose d'étrange en eux qui les unissait et trahissait leur origine commune. Je découvris ce que c'était :

— Ils sont inachevés.

Marina comprit tout de suite de quoi je parlais. À chacun de ces êtres quelque chose manquait. Le policier n'avait pas de bras. La danseuse n'avait pas d'yeux, seulement des cavités vides. Le magicien n'avait pas de bouche ni de mains… Nous contemplâmes les corps qui se balançaient dans la lumière spectrale. Marina s'approcha de la danseuse et l'observa minutieusement. Elle me montra une petite marque sur le front, juste sous la naissance des cheveux. Le papillon noir, encore une fois. Elle tendit la main vers cette marque. Ses doigts frôlèrent les cheveux et elle les retira brusquement. Je vis le dégoût se peindre sur son visage.

— Les cheveux…, dit-elle. Ils sont vrais.

Nous procédâmes à l'examen de chacune de ces sinistres marionnettes et, sur toutes, nous trouvâmes la même marque. J'actionnai de nouveau le levier, et le système de poulies fit remonter les corps. En les voyant s'élever ainsi, inertes, je pensai que c'étaient des âmes mécaniques qui allaient rejoindre leur créateur.

— On dirait qu'il y a autre chose, là-bas, dit Marina derrière moi.

Je me retournai et la vis désigner un coin de la serre où l'on distinguait un vieux bureau. Une fine couche de poussière recouvrait sa surface. Une araignée courait dessus en laissant une traînée de traces minuscules. Je m'agenouillai et soufflai sur la pellicule de poussière. Un nuage gris se dispersa dans l'air. Sur le bureau était posé un livre relié en cuir, ouvert au milieu. Sous une vieille photo sépia collée sur la page, on pouvait lire ces mots soigneusement calligraphiés : « Arles, 1903 ». L'image était celle de sœurs siamoises unies par le torse. En robes du dimanche, les deux enfants offraient à l'objectif le sourire le plus triste du monde.

Marina tourna les pages. Le livre était un album de vieilles photos, normal et ordinaire. Mais les images qu'il contenait n'avaient, elles, rien de normal ni d'ordinaire. Celle des sœurs siamoises en avait donné le ton général. Les doigts de Marina le feuilletèrent, page après page, pour contempler les photographies avec un mélange de fascination et de répulsion. Je jetai un coup d'œil et sentis un bizarre fourmillement parcourir mon épine dorsale.

— Des phénomènes de la nature…, murmura

Marina. Des êtres atteints de malformations qui, autrefois, se réfugiaient dans les cirques...

Le choc produit par la violence de ces images m'atteignit comme un coup de fouet. La face cachée de la nature s'y révélait dans toute sa monstruosité. Des âmes innocentes prisonnières de corps atrocement déformés. Des minutes durant, nous regardâmes les pages de cet album en silence. Une à une, les photographies nous montraient, aussi affreux que cela soit à dire, des créatures de cauchemar. Et pourtant les abominations physiques ne parvenaient pas à dissimuler les regards de désolation, d'horreur et de solitude qui brûlaient dans ces visages.

— Mon Dieu..., murmura Marina.

Les photographies étaient datées, donnant l'année et le lieu où elles avaient été prises. Buenos Aires, 1893. Bombay, 1911. Turin, 1930. Prague, 1933... Il m'était difficile de deviner qui avait rassemblé pareille collection, et pourquoi. Un catalogue de l'enfer. Finalement, Marina détourna son regard de l'album et s'éloigna vers l'ombre. Je tentai de faire de même, mais je me sentais incapable de me dégager de la douleur et de l'horreur qui émanaient de ces images. J'avais l'impression que, même si je vivais mille ans, le souvenir du regard de chacune de ces créatures ne me quitterait plus. Je fermai le livre et me tournai vers Marina. Je l'entendis soupirer dans la pénombre et me sentis insignifiant, sans savoir que faire ou que dire. Quelque chose dans ces photographies l'avait profondément bouleversée.

— Est-ce que ça va... ? lui demandai-je.

Marina acquiesça en silence, les yeux presque clos.

Soudain, un bruit résonna à l'intérieur de la serre. Je scrutai le manteau d'ombre qui nous entourait. J'entendis de nouveau ce bruit indéfinissable. Hostile. Maléfique. Je remarquai alors une odeur de pourriture, une puanteur pénétrante. Elle venait de l'obscurité comme l'haleine d'une bête sauvage. J'eus la certitude que nous n'étions pas seuls. Il y avait quelqu'un. En train de nous observer. Marina contemplait, pétrifiée, la muraille de ténèbres. Je lui pris la main et la guidai vers la sortie.

6.

Quand nous sortîmes de là, la bruine avait vêtu les rues d'argent. Il était une heure de l'après-midi. Nous fîmes le chemin du retour sans échanger une parole. Germán nous attendait dans la maison de Marina pour le déjeuner.

— S'il te plaît, pas un mot de tout ça à Germán, me recommanda Marina.

Je compris qu'elle n'aurait pas été plus capable que moi d'expliquer ce qui s'était passé. À mesure que nous nous éloignions, le souvenir de ces images et de ce sinistre jardin d'hiver s'estompait. Arrivés sur la place de Sarriá, je vis que Marina était pâle et respirait avec difficulté.

— Tu te sens bien ? la questionnai-je.

Elle me répondit par un oui sans conviction. Nous nous assîmes sur un banc de la place. Elle respira profondément plusieurs fois, les yeux fermés. Une bande de pigeons courait à nos pieds. Un instant, je craignis que Marina ne s'évanouisse. Puis elle ouvrit les yeux et me sourit.

— Ne t'inquiète pas. J'ai juste un peu mal au cœur. Ça doit être cette odeur.

— Sûrement. C'était probablement le cadavre d'un animal. Un rat ou…

Marina appuya mon hypothèse. Bientôt les couleurs revinrent sur ses joues.

— En fait, j'ai besoin de manger quelque chose. Allons-y. Germán doit être fatigué de nous attendre.

Nous nous levâmes pour nous diriger vers la maison. Kafka nous attendait à la grille. Il me regarda avec dédain et courut frotter son échine aux chevilles de Marina. J'en étais à soupeser les avantages d'être un chat, quand je reconnus le son de la voix céleste sortant du gramophone de Germán. La musique s'insinuait dans le jardin comme une marée montante.

— C'est quoi, cette musique ?

— Léo Delibes, répondit Marina.

— Je ne connais pas.

— Delibes. Un compositeur français, expliqua Marina, devinant mon ignorance. Qu'est-ce qu'on vous apprend, au collège ?

Je haussai les épaules.

— C'est un air d'un de ses opéras. *Lakmé.*

— Et cette voix ?

— Ma mère.

Je la regardai, interdit.

— Ta mère est chanteuse d'opéra ?

Marina m'adressa un regard impénétrable.

— Elle l'était. Elle est morte.

Germán nous attendait dans le grand salon, une vaste pièce ovale. Un lustre dont pendaient des larmes de cristal était accroché au plafond. Le père de Marina s'était mis sur son trente et un : costume trois-pièces et crinière argentée impeccablement rejetée en arrière. J'eus l'impression d'être en face d'un gentleman de la fin du XIXe siècle. Nous nous assîmes autour de la table dressée avec des nappes en fil et des couverts en argent.

— C'est un plaisir de vous avoir avec nous, Óscar, dit Germán. Ce n'est pas tous les dimanches que nous avons la chance de nous trouver en si agréable compagnie.

La vaisselle était en porcelaine, de véritables pièces d'antiquaire. Le menu semblait consister en une soupe délicieuse et du pain. Rien d'autre. Pendant que Germán me servait le premier, je compris que tout ce luxe était dû à ma seule présence. Malgré les couverts d'argent, la vaisselle digne d'un musée et les habits du dimanche, cette maison n'était pas assez riche pour que l'on puisse s'y payer d'autres plats. À tel point qu'il n'y avait pas de lampes électriques. Les lieux étaient continuellement éclairés par des bougies. Germán dut lire dans mes pensées.

— Vous aurez remarqué, Óscar, que nous n'avons pas l'électricité. À vrai dire, nous ne croyons pas trop aux progrès de la science moderne. En fin de compte, quel est le sens d'une science capable d'envoyer un homme sur la lune, mais incapable de mettre un morceau de pain sur la table de chaque être humain ?

— Peut-être le problème ne réside-t-il pas dans la science, suggérai-je, mais dans ceux qui décident de son emploi.

Germán considéra mon idée et acquiesça avec solen-

pendant presque une demi-heure. L'atmosphère de la maison s'insinua en moi. Quand j'eus la certitude que Marina ne reviendrait pas, je commençai à m'inquiéter. J'hésitai à partir à sa recherche, mais il ne me parut pas convenable de fureter dans les chambres sans y être invité. Je pensai à laisser un mot, mais je n'avais rien pour l'écrire. La nuit tombait, aussi la meilleure solution me semblait-elle de m'en aller. Je repasserais le lendemain, après les cours, pour voir si tout allait bien. Je me surpris à constater que ça ne faisait même pas une demi-heure que je ne voyais plus Marina et que, déjà, je cherchais une excuse pour revenir. Je me dirigeai vers la porte arrière de la cuisine et traversai le jardin jusqu'à la grille. Le ciel s'éteignait sur la ville, sillonné de nuages.

Pendant que je marchais vers le collège, lentement, les événements de la journée défilèrent dans ma tête. En montant l'escalier de ma chambre au quatrième étage, j'étais convaincu que je venais de vivre le jour le plus étrange de ma vie. Mais si j'avais pu acheter un billet pour qu'il se répète, je ne me le serais pas fait dire deux fois.

7.

Cette nuit-là, je rêvai que j'étais pris à l'intérieur d'un immense kaléidoscope. Une créature diabolique, dont je pouvais seulement voir le gros œil à travers la lentille, le faisait tourner. Le monde se décomposait en labyrinthes peuplés d'illusions d'optique qui flottaient autour de moi. Des insectes. Des papillons noirs. Je me réveillai d'un coup, avec l'impression que du café bouillant circulait dans mes veines. Cet état fébrile ne me quitta pas de la journée. Les cours du lundi défilèrent comme des trains qui ne s'arrêtaient pas dans ma gare. JF s'en aperçut tout de suite.

— En temps normal, dit-il, tu es dans les nuages, mais aujourd'hui tu es carrément sorti de la couche atmosphérique. Tu es malade ?

J'eus un geste absent pour le rassurer. Je consultai l'horloge au-dessus du tableau noir. Les cours finissaient dans un peu moins de deux heures. Une éternité. Dehors, la pluie griffait les vitres.

Dès que retentit la sonnerie, je filai en vitesse, laissant en plan JF et notre habituelle excursion dans le monde réel. Je parcourus les sempiternels corridors pour gagner la sortie. Les jardins et les fontaines de l'entrée pâlissaient sous une pluie diluvienne. Je n'avais pas de parapluie ni même un capuchon. Le ciel était une dalle de plomb. Les lampadaires étaient réduits à l'état de veilleuses.

Je me mis à courir. Je franchis les flaques, contournai les déversoirs qui débordaient et parvins à la sortie. La rue était inondée par les eaux qui la dévalaient comme une veine se vidant de son sang. Transpercé jusqu'aux os, je continuai de courir dans les rues étroites et silencieuses. Les bouches d'égout grondaient à mon passage. La ville semblait sombrer dans un océan noir. Il me fallut dix minutes pour parvenir à la grille de la demeure de Marina et de Germán. À ce moment-là, mes vêtements et mes chaussures étaient déjà transformés en éponges. Le crépuscule était un écran de marbre grisâtre à l'horizon. À l'entrée de la ruelle, je crus entendre comme un claquement dans mon dos. Je sursautai et me retournai. Un instant, je sentis que quelqu'un m'avait suivi. Mais il n'y avait personne, seulement la pluie qui mitraillait les flaques du chemin.

Je me glissai de l'autre côté de la grille. La lueur des éclairs me guida jusqu'à la villa. Les chérubins de la fontaine me souhaitèrent la bienvenue. Grelottant de froid, je parvins à la porte arrière de la cuisine. Elle était ouverte. J'entrai. La maison était complètement dans l'obscurité. Je me rappelai les paroles de Germán à propos de l'absence d'électricité.

Jusque-là, l'idée ne m'avait pas traversé l'esprit que personne ne m'avait invité. Pour la seconde fois, je m'introduisais dans cette maison sans le moindre prétexte. Je songeai à m'en aller, mais, dehors, l'orage hurlait. Je soupirai. J'avais mal aux mains tant elles étaient froides, et je sentais à peine le bout de mes doigts. J'eus une quinte de toux et je sentis mon sang battre dans mes tempes. Mes vêtements glacés me collaient au corps. « Mon royaume pour une serviette », pensai-je.

J'appelai :

— Marina ?

L'écho de ma voix se perdit dans les profondeurs. Je pris conscience du manteau d'ombre qui s'étendait autour de moi. Seule la succession des éclairs qui filtraient par les fenêtres permettait de fugaces moments de clarté, comme le flash d'un appareil photo.

J'insistai :

— Marina ? C'est Óscar…

Timidement, j'avançai à l'intérieur. Mes chaussures trempées produisaient un bruit de ventouse. Je m'arrêtai en arrivant au salon où nous avions déjeuné la veille. La table était nue et les chaises vides.

— Marina ? Germán ?

Pas de réponse. Je distinguai dans la pénombre un bougeoir et une boîte d'allumettes sur une console. Il fallut cinq tentatives pour que mes doigts recroquevillés et insensibles finissent par faire jaillir la flamme.

Je levai cette lumière tremblante. Une clarté fantomatique inonda la pièce. Je me glissai dans le corridor où, la veille, j'avais vu disparaître Marina et son père.

Le couloir menait à un autre grand salon, également dominé par un lustre en cristal. Ses pendants luisaient dans la pénombre comme des chevaux de manège en diamant. La maison était peuplée d'ombres obliques que l'orage projetait à travers les vitres. De vieux meubles, de grands fauteuils, étaient couverts de draps blancs. Un escalier de marbre conduisait au premier étage. Je m'en approchai, conscient d'agir en intrus. Deux yeux jaunes luisaient en haut des marches. J'entendis un miaulement. Kafka. Je poussai un soupir de soulagement. Une seconde après, le chat se retira dans l'ombre. Je m'arrêtai et scrutai les alentours. Mes pas avaient laissé des traces sur la poussière.

J'appelai de nouveau :

— Il y a quelqu'un ?

Je n'obtins pas de réponse.

J'imaginai cette grande salle en fête, des dizaines d'années en arrière. Un orchestre et des douzaines de couples qui dansaient. Aujourd'hui, elle ressemblait au salon d'un navire englouti. Les murs étaient couverts de tableaux. Tous représentaient une femme. Je la reconnus. C'était celle sur le tableau que j'avais vu le premier soir où je m'étais glissé dans cette maison. La perfection, la magie de la peinture et la luminosité de ces portraits étaient presque surnaturelles. Je me demandai qui était l'artiste. Il me parut aussi évident qu'ils étaient tous de la même main. De partout, la dame semblait me surveiller. Il n'était pas difficile de remarquer l'extraordinaire ressemblance de cette femme avec Marina. Les mêmes lèvres sur un teint pâle, presque translucide. La même taille, svelte et fragile comme celle d'une figurine en porcelaine. Les mêmes yeux de cendre, tristes et sans fond. Je sentis quelque chose me frôler la cheville. Kafka ronronnait à mes pieds. Je me penchai et caressai son pelage argenté.

— Où est ta maîtresse, dis-moi ?

Il me répondit par un miaulement mélancolique. Il n'y avait personne dans ces lieux. J'entendis le bruit de la pluie qui tambourinait sur le toit. Des milliers de gouttes d'eau qui couraient comme autant d'araignées sur les combles. Je supposai que Marina et Germán étaient sortis pour quelque motif impossible à deviner. Dans tous les cas, ça ne me regardait pas. Je caressai Kafka et décidai que je devais m'éclipser avant qu'ils ne soient de retour.

— Un de nous deux est de trop ici, murmurai-je à Kafka. Moi.

Subitement, sur le dos du chat les poils se hérissèrent comme des épines. Je sentis ses muscles se tendre sous ma main comme des câbles d'acier. Kafka émit un miaulement de panique. Je m'interrogeais sur ce qui pouvait avoir terrifié l'animal à ce point, quand je compris. Cette odeur. La puanteur de pourriture animale de la serre. Des nausées me vinrent.

Je levai les yeux. Un rideau de pluie voilait la grande fenêtre du salon. De l'autre côté, je discernai les silhouettes incertaines des anges de la fontaine. Je sus instinctivement que quelque chose n'allait pas. Il y avait une forme humaine de plus parmi les statues. Je me redressai et allai lentement à la fenêtre. Une des silhouettes pivota sur elle-même. Je m'arrêtai, pétrifié. Je ne pouvais distinguer ses traits, tout juste une forme noire enveloppée d'un manteau. J'eus la certitude que cet intrus m'observait. Et qu'il savait que je l'observais aussi. Je demeurai immobile durant un instant qui me parut infini. Quelques secondes plus tard, la forme se retira dans l'ombre. Quand la lumière d'un éclair inonda le jardin, l'intrus n'y était plus. Je mis quelque temps à me rendre compte que la puanteur avait disparu avec lui.

Je ne vis pas d'autre solution que de m'asseoir et d'attendre le retour de Germán et de Marina. L'idée de sortir n'était guère tentante. Et pas seulement à cause de l'orage. Je me laissai choir dans un énorme fauteuil. Peu à peu, l'écho de la pluie et la lumière ténue qui flottaient dans le grand salon commencèrent à m'endormir. Un moment plus tard, j'entendis le bruit d'une clef dans la serrure de la grande porte, puis des pas dans la pièce. J'émergeai de cet état second et mon cœur bondit dans ma poitrine. Des voix qui se rapprochaient dans le couloir. Une bougie. Kafka courut vers la lumière juste au moment où Germán et sa fille pénétraient dans le salon. Marina me cloua sur place d'un regard glacé.

— Qu'est-ce que tu fais ici, Óscar ?

Je bafouillai quelques mots dénués de sens. Germán me sourit aimablement et m'examina avec curiosité.

— Grand Dieu, Óscar ! Mais vous êtes trempé ! Marina, va chercher des serviettes propres pour Óscar... Venez, Óscar, nous allons allumer du feu, il fait vraiment un temps de chien, ce soir...

Je m'assis face à la cheminée, avec à la main un bol de bouillon brûlant préparé par Marina. Je relatai gauchement la raison de ma présence, sans mentionner la forme aperçue par la fenêtre ni la sinistre puanteur. Germán accepta de bon gré mes explications et ne se montra pas du tout choqué par mon intrusion, au contraire. Pour Marina, c'était une autre paire de manches. Elle me fusillait du regard. Je craignis que ma stupidité, en m'introduisant chez eux comme si c'était une habitude, n'ait mis fin pour toujours à notre amitié. Elle n'ouvrit pas la bouche pendant la demi-heure où nous restâmes assis devant le feu. Quand Germán s'excusa et me souhaita une bonne nuit, j'en étais venu à imaginer que mon ex-amie allait m'expulser à coups de pied et me dire de ne plus jamais revenir.

Nous y voilà, pensai-je. Le baiser de la mort.

Finalement, Marina eut un sourire ironique.

— Tu ressembles à un canard mouillé, dit-elle.

— Merci, répondis-je en m'attendant à bien pire.

— Tu vas m'expliquer ce que tu fichais ici ?

— La vérité, c'est que je ne le sais pas moi-même… Je suppose que… enfin, comment dire…

Mon aspect lamentable me vint probablement en aide, car Marina s'approcha et me donna une tape sur la main.

— Regarde-moi, m'ordonna-t-elle.

J'obéis. Elle m'observait avec un mélange de compassion et de sympathie.

— Je ne suis pas fâchée, tu m'entends ? dit-elle. Mais j'ai été surprise de te voir ici, comme ça, sans avoir prévenu. J'accompagne Germán tous les lundis chez le médecin, à l'hôpital San Pablo, et c'est pour ça que nous étions absents. Ce n'est pas le bon jour pour nous rendre visite.

J'étais honteux.

— Ça ne se reproduira pas.

J'étais sur le point de raconter à Marina l'étrange

apparition à laquelle j'avais cru assister, quand, avec un léger rire, elle se pencha pour m'embrasser sur la joue. Le seul frôlement de ses lèvres suffit pour sécher définitivement mes vêtements. Les mots que j'avais sur la langue se perdirent en chemin. Marina perçut mon balbutiement muet.

— Qu'est-ce que tu voulais dire ?

Je la contemplai en silence et hochai négativement la tête.

— Rien.

Elle haussa un sourcil, comme si elle ne me croyait pas, mais n'insista pas.

— Encore un peu de bouillon ? proposa-t-elle en se redressant.

— Oui, merci.

Marina prit mon bol et alla dans la cuisine pour le remplir. Je restai près du foyer, fasciné par les portraits de la dame sur les murs. À son retour, elle suivit mon regard.

— La femme qui figure sur tous ces portraits..., commençai-je.

— C'est ma mère, dit Marina.

Je sentis que je m'engageais sur un terrain glissant.

— Je n'avais jamais vu de tableaux comme ceux-là. Ils sont comme... des photographies de l'âme.

Marina acquiesça en silence.

— Il doit s'agir d'un artiste célèbre, insistai-je. Mais je n'avais jamais rien vu de pareil.

Marina tarda à répondre.

— Et tu ne le verras jamais. Ça fait seize ans que l'auteur ne peint plus. Cette série de portraits a été sa dernière œuvre.

— Il devait très bien connaître ta mère pour pouvoir la peindre ainsi, soufflai-je.

Marina me regarda longuement. Je sentis peser sur moi le même regard que celui des tableaux.

— Mieux que personne, répondit-elle. Il s'était marié avec elle.

8.

Cette nuit-là, devant le feu, Marina me raconta l'histoire de Germán et de la grande maison de Sarriá. Germán Blau était né au sein d'une famille fortunée appartenant à la florissante bourgeoisie catalane de l'époque. Rien ne faisait défaut à la dynastie des Blau : ni la loge au Liceo, ni la cité industrielle au bord du Segre, ni quelques scandales mondains. On murmurait que le petit Germán n'était pas l'enfant du grand patriarche Blau, mais le fruit d'amours illégitimes entre sa mère Diana et un personnage haut en couleur dénommé Quim Salvat. Salvat était, dans l'ordre, un libertin, un portraitiste et un satyre professionnel. Il scandalisait les gens bien pensants tout en immortalisant leurs charmes sur ses toiles à des prix astronomiques. Que la rumeur fût vraie ou fausse, il n'en restait pas moins que Germán n'offrait aucune ressemblance, ni par le physique ni par le caractère, avec les autres membres de la famille. Son unique intérêt était la peinture, le dessin, ce que tout le monde trouvait évidemment suspect. Et particulièrement son père officiel.

L'année de ses seize ans, ledit père lui annonça qu'il n'y avait pas de place dans la famille pour les rêveurs et les fainéants. Si son fils persistait dans ses intentions de « faire l'artiste », il l'enverrait à l'usine travailler comme manœuvre ou tailleur de pierre, ou dans la légion, ou dans toute autre institution susceptible de lui forger le caractère et de faire de lui un homme véritable. Germán choisit de s'enfuir de la maison, où il fut ramené *manu militari* vingt-quatre heures plus tard.

Son père, désespéré par cet aîné décevant, décida de reporter tous ses espoirs sur le deuxième fils, Gaspar, qui mourait d'envie de tout apprendre sur l'industrie textile et montrait davantage de dispositions pour continuer la tradition familiale. Craignant pour l'avenir économique de Germán, le vieux Brau mit à son nom la villa de Sarriá, à demi abandonnée depuis plusieurs années. « Même s'il nous fait honte à tous, je n'ai pas travaillé comme un forçat pour qu'un de mes fils reste à la rue », lui dit-il. En son temps, cette somptueuse demeure avait été l'une des plus appréciées du gratin de la société barcelonaise, mais plus personne ne s'en souciait. Elle était comme maudite. En effet, la rumeur courait que c'était dans ses murs que Diana et le libertin Salvat s'étaient livrés à leurs ébats secrets. Ce fut ainsi que, par une ironie du destin, la maison passa aux mains de Germán. Peu après, soutenu en cachette par sa mère, Germán devint l'apprenti de ce même Quim Salvat. Le premier jour, celui-ci le regarda droit dans les yeux et le prévint : « Un : je ne suis pas ton père et je ne connais ta mère que de vue. Deux : la vie d'artiste est une vie de risque, d'incertitude et, presque toujours, de pauvreté. On ne la choisit pas ; c'est elle qui vous choisit. Si tu as des doutes à l'égard de ces deux points, mieux vaut que tu prennes tout de suite la porte. »

Germán resta.

Les années d'apprentissage avec Quim Salvat furent pour Germán un saut dans un autre monde. Pour la première fois, il découvrit que quelqu'un croyait en lui, en son talent et en son aptitude à devenir autre chose qu'une pâle copie de son père. Il se sentit un autre homme. En six mois, il en apprit plus qu'au cours de toute sa vie passée et sut en tirer profit.

Salvat était un homme extravagant et généreux, amoureux de tous les plaisirs de la vie. Il ne peignait que la nuit, et même s'il n'était pas particulièrement beau (en fait de beauté, il ressemblait plutôt à un ours), on pouvait le considérer comme un authentique bourreau des cœurs, doté d'un extraordinaire pouvoir de séduction dont il usait presque mieux que du pinceau.

Des modèles à vous couper le souffle et des dames de la haute société défilaient dans l'atelier, désireuses de poser pour lui et même, soupçonnait Germán, d'en faire un peu plus. Salvat s'y connaissait en vins, en poètes, en villes de légende et en techniques d'acrobatie amoureuse importées de Bombay. Il avait vécu intensément ses quarante-sept années. Il disait toujours que les êtres humains laissaient filer leur existence comme s'ils devaient vivre toujours et que c'était là ce qui les perdait. Il se moquait de la vie et de la mort, du divin et de l'humain. Il cuisinait mieux que les grands chefs du guide Michelin et mangeait comme quatre. Durant le temps que Germán passa à son côté, Salvat fut non seulement son maître mais devint son meilleur ami. Germán sut toujours que tout ce qu'il avait réussi à être dans sa vie, comme homme et comme peintre, il le devait à Quim Salvat.

Salvat était un de ces rares privilégiés qui connaissent le secret de la lumière. Il disait que la lumière est une danseuse capricieuse et consciente de sa grâce. Dans ses mains, elle se transformait en lignes merveilleuses qui illuminaient la toile et ouvraient les portes de l'âme. C'était du moins ce qui figurait dans les textes des catalogues de ses expositions.

— Peindre, c'est écrire avec la lumière, affirmait Salvat. Tu dois d'abord apprendre son alphabet ; puis sa grammaire. Alors seulement tu pourras maîtriser le style et la magie.

Ce fut Quim Salvat qui élargit sa vision du monde en l'emmenant avec lui dans ses voyages. Ils parcoururent ainsi Paris, Vienne, Berlin, Rome… Germán ne tarda pas à comprendre que Salvat était aussi bon comme vendeur de son art que comme peintre, peut-être même meilleur. Là était la clef de son succès.

— Sur mille personnes qui acquièrent un tableau ou une œuvre d'art, une seule possède une vague idée de ce qu'elle achète, lui expliquait Salvat en souriant. Les autres n'achètent pas l'œuvre, ils achètent l'artiste, ce qu'ils ont entendu dire de lui et, presque toujours, ce qu'ils imaginent à son sujet. Ce commerce n'est pas différent de celui des remèdes de guérisseurs ou des filtres d'amour, Germán. La seule différence est le prix.

Le grand cœur de Quim Salvat s'arrêta de battre le 17 juillet 1938. Certains affirmèrent que c'était à cause de ses excès. Germán crut toujours que ce furent les horreurs de la guerre qui tuèrent la foi et l'envie de vivre de son mentor.

— Je pourrais peindre mille ans, murmura Salvat sur son lit de mort, et je ne changerais pas un iota à la barbarie, à l'ignorance et à la bestialité des hommes. La beauté n'est qu'un souffle opposé au vent de la réalité, Germán. Mon art n'a pas de sens. Il ne sert à rien…

La liste interminable de ses maîtresses, ses créanciers, ses amis et ses collègues, les douzaines de gens qu'il avait aidés sans rien demander en échange le pleurèrent à son enterrement. Ils savaient que, ce jour-là, une lumière s'était éteinte dans le monde et que tous, dorénavant, seraient plus seuls, plus vides.

Salvat lui laissa une très modeste somme d'argent et son atelier. Il le chargea de répartir le reste (qui ne représentait pas grand-chose, car il dépensait plus que ce qu'il gagnait et avant même de le gagner) entre ses maîtresses et ses amis. Le notaire dépositaire du testament remit à Germán une lettre que Salvat lui avait confiée quand il avait senti que sa fin était proche. Il devait l'ouvrir après sa mort.

Les larmes aux yeux et l'âme en lambeaux, le jeune homme erra toute la nuit dans la ville. L'aube le surprit sur le brise-lames du port, et c'est là qu'il lut, aux premières lueurs du jour, les dernières paroles que Quim Salvat lui avait réservées.

Mon cher Germán,

Je ne te l'ai pas dit de mon vivant, parce que j'ai cru que je devais attendre le moment opportun. Mais je crains de ne plus être de ce monde quand ce moment arrivera.

Voici ce que je voulais te dire. Je n'ai jamais connu un peintre qui ait plus de talent que toi, Germán. Tu ne le sais pas encore et tu ne peux pas le comprendre, mais tu l'as en toi, et mon seul mérite a été de le reconnaître. Tu ne t'en es pas rendu compte, mais j'ai plus appris de toi que tu n'as appris de moi. J'aurais aimé que tu aies le maître que tu mérites, qui aurait guidé ton talent mieux que le pauvre apprenti que je suis. En toi, Germán, la lumière parle. Nous, nous ne faisons qu'écouter. Ne l'oublie jamais. Désormais, ton maître sera ton élève et ton meilleur ami, pour toujours.

Salvat

Une semaine plus tard, fuyant des souvenirs insupportables, Germán partit pour Paris. On lui avait offert un poste de professeur dans une école de peinture. Il ne devait remettre les pieds à Barcelone que dix ans plus tard.

À Paris, Germán se tailla une réputation de bon portraitiste et se découvrit une passion qui ne devait plus le quitter : l'opéra. Ses toiles commencèrent à bien se vendre, et un marchand qui l'avait connu au temps où il travaillait avec Salvat décida de le représenter. En plus de son salaire de professeur, il vendait suffisamment pour mener une existence simple mais digne. Grâce à quelques arrangements et à l'aide du directeur de son école qui connaissait la moitié de Paris, il parvint à réserver une place à l'Opéra pour toute la saison. Rien d'ostentatoire : au sixième rang de l'amphithéâtre et légèrement trop à gauche. Un cinquième de la scène était invisible, mais la musique arrivait jusqu'à lui dans toute sa gloire, indifférente au prix des fauteuils et des loges.

C'est là qu'il la vit pour la première fois. On eût dit une créature sortie des tableaux de Salvat, mais sa beauté n'était rien auprès de sa voix. Elle s'appelait Kirsten Auermann, avait dix-neuf ans et, à en croire le programme, était un des jeunes espoirs de l'art lyrique mondial. Cette même nuit, elle lui fut présentée au cours d'une réception que la compagnie avait organisée après le spectacle. Germán s'y glissa en se faisant passer pour le critique musical du *Temps*. Quand il lui serra la main, il ne sut que dire.

— Pour un critique, vous parlez bien peu et avec un drôle d'accent, ironisa Kirsten.

À ce moment-là, Germán décida qu'il épouserait cette femme, quand bien même ce serait la dernière chose qu'il ferait de sa vie. Il voulut appeler à son aide tous les arts de la séduction qu'il avait vu déployer par Salvat pendant des années. Mais il n'y avait qu'un seul Salvat et le moule en était cassé. C'est ainsi que commença un interminable jeu du chat et de la souris qui se prolongea six ans durant et se termina dans une petite chapelle de Normandie, par une après-midi de l'été 1946. Le jour de leur mariage, le spectre de la guerre planait encore dans l'air comme la puanteur de la charogne cachée.

Kirsten et Germán revinrent à Barcelone peu de temps après et s'installèrent à Sarriá. En son absence, la grande demeure s'était transformée en musée fantôme. La lumière qui émanait de Kirsten et trois semaines de nettoyage firent le reste.

La maison vécut une époque de splendeur telle qu'elle n'en avait jamais connu. Germán peignait sans relâche, possédé par une énergie que même lui ne s'expliquait pas. Ses œuvres commencèrent à prendre de la valeur dans les hautes sphères et, bientôt, posséder « un Blau » devint une condition *sine qua non* de l'appartenance à la bonne société. Du coup, le père s'enorgueillissait en public du succès de Germán. « J'ai toujours cru en son talent et je savais qu'il réussirait », « Il a ça dans le sang, comme tous les Blau » et « Il n'y a pas de père plus fier que moi » devinrent ses phrases favorites, et, à force de les répéter, il finit par y croire lui-même. Des marchands et des directeurs de galeries qui, des années auparavant, ne prenaient même pas la peine de lui dire bonjour se mettaient en quatre pour se ménager les bonnes grâces de Germán. Au milieu de ce tourbillon de vanités et d'hypocrisies, il n'oublia jamais ce que Salvat lui avait appris.

La carrière de Kirsten avait, elle aussi, le vent en poupe. C'était l'époque où l'on commençait à commercialiser les disques 33 tours, et elle fut l'une des premières voix à immortaliser le répertoire. Ce furent des années de bonheur et de lumière dans la villa de Sarriá, des années où tout semblait possible et où l'on ne pouvait deviner les ombres qui se profilaient à l'horizon.

Nul n'accorda d'importance aux nausées et aux malaises de Kirsten jusqu'au moment où il fut trop tard. Le succès, les voyages, la tension des premières d'opéra expliquaient tout. Le jour où Kirsten fut examinée par le docteur Cabrils, deux nouvelles changèrent à jamais son univers. La première était qu'elle était enceinte. La seconde, qu'elle était atteinte d'une maladie irréversible du sang qui, lentement, s'attaquait à sa vie. Il lui restait un an. Deux, au grand maximum.

Ce même jour, en sortant du cabinet du médecin, Kirsten commanda à l'Horlogerie générale suisse de la via Augusta une montre en or avec une inscription dédiée à Germán :

Pour Germán en qui parle la lumière.
K. A.
19-1-1964

Cette montre compterait les heures qu'il leur restait à vivre l'un près de l'autre.

Kirsten quitta la scène et mit fin à sa carrière. La soirée d'adieux eut lieu au Liceo de Barcelone, avec *Lakmé* de Léo Delibes, son compositeur de prédilection. Personne n'écouterait plus une voix comme la sienne. Au cours des mois de sa grossesse, Germán peignit une série de portraits de sa femme qui dépassaient toutes ses œuvres antérieures. Il n'accepta jamais de les vendre.

Le 26 décembre 1964, une petite fille aux cheveux blonds et aux yeux couleur de cendre, identiques à ceux de sa mère, naquit dans la maison de Sarriá. Elle devait s'appeler Marina et porterait toujours sur son visage les traits et la luminosité de sa mère. Kirsten

pas à penser par toi-même, se justifiait Marina. Et ça, aucun collège ne te l'enseigne. Ce n'est pas dans le programme.

Germán avait ouvert son esprit au monde de l'art, de l'histoire, de la science. La bibliothèque de la maison, digne de celle d'Alexandrie, était devenue son univers. Chaque livre était une porte sur de nouveaux mondes et de nouvelles idées. Un soir de la fin d'octobre, nous nous assîmes au bord de la fenêtre du deuxième étage pour contempler les lointaines lumières du Tibidabo. Marina m'avoua que son rêve était de devenir écrivain. Elle avait un coffre plein d'histoires et de contes qu'elle écrivait depuis l'âge de neuf ans. Quand je lui demandai de m'en montrer un, elle me regarda comme si j'avais bu et me rétorqua qu'il n'en était pas question. « C'est la même chose que pour les échecs, pensai-je. Laissons faire le temps. »

Souvent, quand Germán et Marina ne faisaient pas attention à moi, je les observais longuement. Plaisantant, lisant ou s'affrontant en silence de part et d'autre de l'échiquier. Le lien invisible qui les unissait, ce monde à part qu'ils s'étaient construit loin de tout et de tous, était comme un merveilleux sortilège. Un enchantement que, parfois, je craignais de briser par ma présence. Certains jours, quand je marchais sur le chemin du retour à l'internat, je me sentais la personne la plus heureuse du monde, du seul fait de pouvoir le partager.

Sans m'arrêter à me demander pourquoi, je fis de cette amitié un secret. Je n'avais rien dit d'eux à personne, pas même à mon camarade JF. En quelques semaines à peine, Germán et Marina étaient devenus ma vie secrète et, pour ne rien cacher, la seule vie que je désirais vivre. Je me souviens d'un soir où Germán s'était retiré plus tôt pour se reposer, avec, comme toujours, son exquise politesse d'un autre âge. J'étais demeuré seul avec Marina dans le salon des portraits. Elle eut un sourire énigmatique et me déclara qu'elle était en train d'écrire sur moi. L'idée me consterna.

— Sur moi ? Qu'est-ce que tu veux dire ?

— Je veux dire à propos de toi, pas sur ton dos en m'en servant comme d'un pupitre.

— Ça, quand même, je l'avais compris.

Marina savourait ma soudaine nervosité.

— Et alors ? demanda-t-elle. Est-ce que tu as une si mauvaise opinion de toi-même que tu crois que ça ne vaut pas la peine d'écrire sur toi ?

Je n'avais pas de réponse à cette question. Je préférai changer de stratégie et prendre l'offensive. C'était ce que Germán m'avait appris dans ses leçons d'échecs. Stratégie élémentaire : quand on se sent coincé, crier de toutes tes forces et passer à l'attaque.

— Eh bien, puisque c'est comme ça, tu seras obligée de me le donner à lire, lançai-je.

Marina haussa un sourcil, indécise.

— C'est mon droit de savoir ce que tu écris sur moi, ajoutai-je.

— Peut-être que ça ne te plaira pas.

— Peut-être. Ou peut-être que si.

— J'y réfléchirai.

— J'attendrai.

Le froid débarqua à Barcelone à sa manière habituelle : comme une météorite. En un jour à peine, les thermomètres commencèrent à se regarder le nombril. Des armées de manteaux sortirent des placards pour remplacer les légères gabardines automnales. Ciels d'acier et bourrasques qui mordaient les oreilles prirent possession des rues. Germán et Marina me firent la surprise de m'offrir un bonnet de laine qui devait avoir coûté une fortune.

— C'est pour vous protéger les idées, cher Óscar, m'expliqua Germán. Il ne faudrait pas que vous preniez froid au cerveau.

À la mi-novembre, Marina m'annonça que Germán et elle devaient aller passer une semaine à Madrid. Un médecin de l'hôpital La Paz, une vraie sommité, avait accepté de soumettre Germán à un traitement qui en était encore à sa phase expérimentale et qui n'avait été utilisé que deux ou trois fois dans toute l'Europe.

— Je ne sais pas… on dit que ce médecin fait des miracles, expliqua Marina.

La perspective de passer une semaine sans eux s'abattit sur moi comme une pierre tombale. Mes efforts pour le dissimuler furent vains. Marina lisait en moi comme si j'étais transparent. Elle me donna une tape sur la main.

— C'est juste une semaine, tu sais. Après, on se reverra comme avant.

J'acquiesçai, sans trouver de paroles de consolation.

— J'ai parlé hier à Germán de la possibilité que tu prennes soin de Kafka et de la maison en notre absence…, risqua Marina.

— Bien sûr. Il ne manquerait plus que ça.

Son visage s'illumina.

— Espérons que ce docteur sera aussi bon qu'on le dit, ajoutai-je.

Marina me dévisagea un long moment. Derrière son sourire, les yeux de cendre exprimaient une tristesse qui me désarma.

— Oui, espérons-le.

Le train pour Madrid partait de la gare de France à neuf heures du matin. Je m'étais échappé dès le petit jour. Avec mes économies, j'avais retenu un taxi pour aller prendre Germán et Marina et les conduire à la gare. Cette matinée dominicale était noyée dans des brumes bleues qui s'effilochaient, chassées par l'ambre d'une aurore timide. Nous fîmes la plus grande partie du trajet sans parler. Le compteur de la vieille Seat 1500 cliquetait comme un métronome.

— Vous n'auriez pas dû vous donner ce mal, cher Óscar, disait Germán.

— C'est tout naturel. Il fait un froid de canard et il n'est pas question de nous geler les méninges, n'est-ce pas ?

Arrivés à la gare, Germán s'installa dans un café pendant que nous allions, Marina et moi, payer les billets que nous avions réservés. Au moment du départ, Germán me serra si fort dans ses bras que je faillis fondre en larmes. Avec l'aide d'un employé, il monta dans le wagon en me laissant seul pour dire adieu à Marina. L'écho de mille appels et de sifflets se perdait sous l'immense voûte de la gare. Nous restâmes silencieux, osant à peine nous regarder.

— Eh bien, voilà..., dis-je.

— N'oublie pas de faire chauffer le lait, parce que...

— Oui, je sais, Kafka déteste le lait froid, spécialement quand il vient de commettre un assassinat. C'est un chat très délicat.

Le chef de gare s'apprêtait à donner le signal du départ avec son drapeau rouge. Marina soupira.

— Germán est fier de toi, dit-elle.

— Je ne vois pas pourquoi.

— Tu vas nous manquer.

— Ça, c'est ce que tu crois. Allez, monte, maintenant.

Subitement, Marina se pencha, et ses lèvres frôlèrent les miennes. En un clin d'œil elle fut dans le wagon. Je suivis des yeux le train qui s'éloignait, avalé par la brume. Une fois que se fut éteint le bruit de la motrice, je me dirigeai vers la sortie. Ce faisant, je pensai que je n'avais jamais réussi à raconter à Marina l'étrange vision que j'avais eue chez eux, la nuit de l'orage. Moi-même, avec le temps, j'avais préféré l'oublier, finissant par me persuader que j'avais tout inventé. J'étais déjà dans la salle des pas perdus de la gare quand un employé m'accosta sans ménagements.

— Tiens… tiens, prends ça, on me l'a donné pour toi.

Il me tendit une enveloppe couleur ocre.

— Je crois que vous vous trompez, dis-je.

— Non, non. La dame m'a dit de te le remettre, insista l'employé.

— Quelle dame ?

L'employé se tourna pour désigner la grande porte qui donnait sur le Paseo Colón. Des fils de brouillard balayaient les marches de l'entrée. Il n'y avait personne à cet endroit. L'employé haussa les épaules et s'en alla.

Perplexe, je gagnai la porte et sortis dans la rue juste à temps pour l'identifier : la dame que nous avions vue dans le cimetière de Sarriá montait dans une anachronique voiture traînée par deux chevaux. Elle se retourna pour me dévisager un instant. Son visage demeurait caché sous un voile noir, comme une toile d'araignée d'acier. Une seconde plus tard, la portière de la voiture se ferma et le cocher, engoncé dans un manteau gris qui le couvrait entièrement, fouetta les chevaux. La voiture s'éloigna à toute allure au milieu du trafic du Paseo Colón en direction des Ramblas, avant de disparaître.

J'étais déconcerté, sans me rendre compte que je tenais toujours à la main l'enveloppe remise par l'employé. Quand je m'en souvins, je l'ouvris. Elle contenait une carte défraîchie. On pouvait lire dessus une adresse :

Mihaïl Kolvenik
Rue Princesa 33, IVe, ap. 2

Je retournai la carte. Au dos, un tampon avait reproduit le symbole qui figurait sur la tombe sans nom du cimetière et sur le jardin d'hiver abandonné. Un papillon noir, les ailes déployées.

10.

Sur le chemin de la rue Princesa, je découvris que j'avais faim et m'arrêtai pour acheter un gâteau dans une boulangerie face à la basilique de Santa María del Mar. Une odeur de pain sucré flottait dans l'écho des cloches. La rue Princesa montait en traversant le vieux quartier comme une gorge étroite et obscure. Je passai devant d'antiques demeures et des édifices qui paraissaient plus anciens que la ville elle-même. Le numéro 33 dessiné sur un de ces immeubles était à peine lisible. Je pénétrai dans un vestibule qui évoquait le cloître d'une vieille chapelle. Un bloc de boîtes aux lettres rouillées tenait encore par miracle au mur en céramique délabré. J'étais en train de chercher sans succès le nom de Mihaïl Kolvenik, quand j'entendis derrière moi une respiration pesante.

Je me retournai et découvris le visage parcheminé d'une vieille, assise devant la loge de la concierge. J'eus l'impression d'un mannequin de cire habillé en veuve. Un rai de lumière effleura sa figure. Ses yeux étaient blancs comme du marbre. Sans pupilles. Elle était aveugle.

— Qui cherchez-vous ? demanda la concierge d'une voix cassée.

— Mihaïl Kolvenik, madame.

Les yeux blancs, vides, cillèrent. La vieille hocha la tête négativement.

— On m'a donné cette adresse, précisai-je. Mihaïl Kolvenik, appartement n° 2.

La vieille hocha de nouveau la tête et retourna à son immobilité. À cet instant, je vis quelque chose qui bougeait sur la table posée devant elle. Une araignée noire grimpait sur les mains ridées de la concierge. Ses yeux blancs regardaient dans le vide. Silencieusement, je me faufilai jusqu'à l'escalier.

Personne n'avait changé une ampoule dans cet escalier depuis au moins trente ans. Les marches usées étaient glissantes. Les paliers, des puits d'obscurité et de silence. Tout en haut, une lucarne laissait tomber une clarté tremblante. Dessous, un pigeon pris au piège voletait en vain. La porte de l'appartement n° 2 était en bois massif avec une poignée d'aspect ferroviaire. Je sonnai plusieurs fois et entendis l'écho du timbre se perdre à l'intérieur. Des minutes passèrent. Je sonnai de nouveau. Deux nouvelles minutes. Je commençais à penser que j'avais pénétré dans un tombeau. Un des cent immeubles fantômes qui hantaient le vieux quartier de Barcelone.

Soudain, quelqu'un tira la grille du judas. Des filets de lumière percèrent l'obscurité. La voix que j'entendis était enrouée. Une voix qui n'avait pas parlé depuis des semaines, des mois peut-être.

— Qui est là ?

— Monsieur Kolvenik ? Mihaïl Kolvenik ? demandai-je. S'il vous plaît, est-ce que je pourrais vous parler un moment ?

Le judas se ferma d'un coup. Silence. J'allais de nouveau sonner, quand la porte s'ouvrit.

Une silhouette se découpa sur le seuil. De l'intérieur venait un bruit de robinet coulant sur un évier.

— Qu'est-ce que tu veux, mon garçon ?

— Monsieur Kolvenik ?

— Je ne suis pas Kolvenik, trancha la voix. Mon nom est Sentís. Benjamín Sentís.

— Excusez-moi, monsieur Sentís, mais on m'a donné cette adresse et…

Je lui tendis la carte que m'avait remise l'employé de la gare. Une main rigide l'attrapa, et cet homme dont je ne pouvais discerner les traits l'examina en silence durant un bon moment avant de me la restituer.

— Ça fait des années que Mihaïl n'habite plus ici.

— Vous le connaissez ? Vous pouvez peut-être m'aider ?

Un autre long silence.

— Entre, dit finalement Sentís.

Benjamín Sentís était un homme corpulent qui passait sa vie dans une robe de chambre en flanelle rouge sombre. Une pipe éteinte était coincée entre ses lèvres, et son visage s'ornait d'une moustache dont les pointes rejoignaient les favoris, dans le style Jules Verne. Le logis dominait la jungle de toits du vieux quartier et flottait dans une clarté éthérée. On voyait au loin les tours de la cathédrale et, plus loin encore, la montagne de Montjuich. Les murs étaient nus. Un piano collectionnait les couches de poussière, et des cartons contenant des journaux disparus depuis longtemps jonchaient le sol. Rien, dans cette maison, ne parlait du présent. Benjamín Sentís vivait au plus-que-parfait.

Nous nous assîmes dans la pièce qui donnait sur le balcon, et Sentís examina de nouveau la carte.

— Pourquoi cherches-tu Kolvenik ?

Je décidai de tout raconter depuis le début, de notre visite au cimetière à l'étrange apparition de la dame en noir ce matin même dans la gare de France. Sentís m'écoutait, le regard perdu, sans montrer la moindre émotion. Mon récit terminé, un silence pénible s'installa entre nous. Sentís prenait son temps pour m'observer. Il avait un regard de loup, froid et pénétrant.

— Mihaïl Kolvenik a occupé cet appartement pendant quatre ans, peu après son arrivée à Barcelone, dit-il. Il y a encore, là-bas derrière, quelques-uns de ses livres. C'est tout ce qui reste de lui.

— Auriez-vous son adresse actuelle ? Savez-vous où je pourrais le rencontrer ?

Sentís rit.

— Essaye en enfer.

Je le regardai sans comprendre.

— Mihaïl Kolvenik est mort en 1948.

Selon ce que m'expliqua Benjamín Sentís ce matin-là, Mihaïl Kolvenik était arrivé à Barcelone à la fin de 1919. À cette époque, il n'avait guère plus de vingt ans. Originaire de Prague, Kolvenik fuyait une Europe dévastée par la Grande Guerre. Il ne parlait pas un mot de catalan ni d'espagnol, mais s'exprimait avec aisance en allemand et en français. Il n'avait ni argent, ni amis, ni connaissances dans cette ville difficile et hostile. Il avait passé sa première nuit à Barcelone en prison, parce qu'il avait été surpris en train de dormir sous un porche pour se protéger du froid. Là, deux compagnons de cellule accusés de vol, assassinat et incendie volontaire décidèrent de le passer à tabac sous prétexte que tout partait à vau-l'eau dans le pays à cause des étrangers qui y apportaient leurs poux. Les trois côtes cassées, les contusions et les lésions internes guérirent avec le temps, mais il avait perdu pour toujours l'ouïe de l'oreille gauche. « Lésion du nerf auditif », diagnostiquèrent les médecins. Mauvais départ. Mais Kolvenik disait toujours que lorsque ça commence mal, ça ne peut que se terminer mieux. Dix ans plus tard, il était l'un des hommes les plus riches et les plus puissants de Barcelone.

À l'infirmerie de la prison, il fit la connaissance de celui qui, au fil des ans, devait devenir son meilleur ami, un jeune médecin d'ascendance anglaise qui s'appelait Joan Shelley. Le docteur Shelley parlait un peu allemand et savait, pour en avoir lui-même fait l'expérience, ce que cela signifiait d'être un étranger sur une autre terre. Grâce à lui, Kolvenik obtint à sa sortie de prison un emploi dans une société dénommée Velo-Granell. Velo-Granell fabriquait des articles d'orthopédie et des prothèses. Le conflit du Maroc et la Grande Guerre en Europe avaient créé un immense marché pour ce genre de produits. Des légions d'hommes frappés dans leur chair pour la plus grande gloire de banquiers, ministres, généraux, agents de change et autres pères de la patrie étaient restés mutilés et handicapés à vie au nom de la liberté, de la démocratie, de la nation, de la race ou du drapeau.

Les ateliers de Velo-Granell se trouvaient à côté du marché du Borne. À l'intérieur, des vitrines de bras, d'yeux, de jambes et d'articulations artificiels rappelaient au visiteur la fragilité du corps humain. Grâce à son modeste salaire et à la recommandation de la société, Mihaïl Kolvenik put louer un petit appartement dans la rue Princesa. Lecteur insatiable, il avait appris, en un an, à se défendre convenablement en catalan et en espagnol. Son talent et son intelligence lui valurent d'être rapidement considéré comme un des employés les plus compétents de Velo-Granell. Il possédait d'amples connaissances en médecine, en chirurgie et en anatomie. Il dessina un mécanisme pneumatique révolutionnaire qui permettait d'articuler le mouvement des prothèses de jambes et de bras. Le système réagissait aux impulsions musculaires et dotait le patient d'une mobilité sans précédent. Cette invention propulsa Velo-Granell à l'avant-garde de son secteur d'activité. Et ce ne fut qu'un début. La table à dessin de Kolvenik ne cessait de produire de nouvelles inventions, et il fut finalement nommé ingénieur en chef de l'atelier de dessin et de développement.

Quelques mois plus tard, de tristes circonstances mirent à l'épreuve le talent du jeune Kolvenik. Le fils du fondateur de Velo-Granell fut victime, dans la fabrique, d'un terrible accident. Telle la mâchoire d'un dragon, une presse hydraulique lui coupa les deux mains. Durant des semaines, Kolvenik travailla infatigablement pour créer de nouvelles mains en bois, métal et porcelaine, dont les doigts répondaient aux commandes des muscles et des tendons de l'avant-bras. La solution inventée par Kolvenik faisait appel aux courants électriques des stimuli nerveux des bras pour articuler le mouvement. Quatre mois après l'accident, la victime étrennait des mains mécaniques qui lui permettaient d'attraper des objets, d'allumer une cigarette ou de boutonner sa chemise sans aide. Tout le monde convint que, cette fois, Kolvenik était allé plus loin que tout ce qu'on pouvait imaginer. Pour sa part, peu sensible aux éloges et à l'euphorie, il affirma que c'était seulement les prémices d'une nouvelle science. En récompense de son travail, le fondateur de Velo-Granell le nomma directeur général de l'entreprise et lui offrit un paquet d'actions qui faisait virtuellement de lui un des patrons, au côté de l'homme que son invention avait doté de mains neuves.

Sous la direction de Kolvenik, Velo-Granell prit un nouvel essor. La société élargit son marché et diversifia sa ligne de produits. Elle adopta le symbole d'un papillon aux ailes noires déployées dont Kolvenik n'expliqua jamais la signification. La fabrique fut agrandie pour le lancement de nouveaux mécanismes : membres artificiels, valvules circulatoires, fibres osseuses et quantité d'autres inventions. Le parc d'attractions du Tibidabo se peupla d'automates créés par Kolvenik en guise de passe-temps et de champ d'expérimentation. Velo-Granell exportait dans toute l'Europe, l'Amérique et l'Asie. La valeur des actions et la fortune personnelle de Kolvenik explosèrent, mais il refusait d'abandonner le modeste appartement de la rue Princesa. D'après lui, il n'avait aucune raison de modifier son mode de vie. C'était un homme seul, menant une vie simple, et ce logement était assez grand pour lui et pour ses livres.

Tout cela devait changer avec l'apparition d'une nouvelle pièce sur l'échiquier. Eva Irinova était l'étoile du nouveau spectacle du Théâtre royal qui remportait un grand succès. La jeune femme, d'origine russe, avait dix-neuf ans. On disait que sa beauté avait poussé des hommes au suicide à Paris, Vienne, et dans d'autres capitales. Eva Irinova voyageait en compagnie de deux étranges personnages, Sergueï et Tatiana Glazounov, qui étaient jumeaux. Les Glazounov faisaient fonction d'agents et de tuteurs. On disait que Sergueï et la jeune diva étaient amants, que la sinistre Tatiana dormait dans un cercueil au fond de la fosse d'orchestre du Théâtre royal, que Sergueï avait fait partie des assassins de la dynastie des Romanov, qu'Eva avait le pouvoir de parler avec les esprits des défunts... Toutes sortes de rumeurs aussi rocambolesques que fantaisistes alimentaient la renommée de la belle Irinova, qui tenait Barcelone dans le creux de sa main.

La légende d'Eva Irinova parvint à l'oreille de Kolvenik. Intrigué, il vint un soir au théâtre pour voir de ses propres yeux la cause de toute cette agitation. Ce seul soir suffit pour que Kolvenik reste fasciné par la jeune fille. Dès lors, la loge d'Irinova se transforma littéralement en lit de roses. Deux mois après cette révélation, Kolvenik décida de louer une loge dans le théâtre. Il s'y rendait tous les soirs et contemplait avec béatitude l'objet de son admiration. Inutile de préciser que l'affaire était la fable de toute la ville. Un beau jour, il décida de convoquer ses avocats et les chargea de faire une offre à l'imprésario Daniel Mestres. Il voulait acquérir ce vieux théâtre et prendre à son compte toutes les dettes qu'il traînait. Son intention était de le reconstruire depuis les fondations et d'en faire la plus grande scène d'Europe. Un théâtre éblouissant doté des dernières merveilles de la technique et consacré à son Eva Irinova adorée. La direction du théâtre céda à son offre généreuse. Le nouveau projet fut baptisé « le Grand Théâtre royal ». Le lendemain, Kolvenik fit sa demande en mariage à Eva Irinova dans un russe parfait. Elle accepta.

Le couple projetait de déménager après son mariage dans une résidence de rêve que Kolvenik faisait bâtir près du parc Güell. Kolvenik avait lui-même fourni le dessin préliminaire de la fastueuse construction à l'atelier d'architecture Sunyer, Balcells & Baró. On répétait que jamais, dans toute l'histoire de Barcelone, on n'avait dépensé autant d'argent pour une résidence privée, ce qui n'était pas peu dire. Cependant, tout le monde ne se réjouissait pas de ce conte de fées. L'associé de Kolvenik dans la société Velo-Granell ne voyait pas son obsession d'un bon œil. Il craignait qu'il n'affecte des fonds de l'entreprise au financement de son projet délirant de transformer le Théâtre royal en la huitième merveille du monde moderne. Il n'était pas loin de la vérité. Comme si cela ne suffisait pas, des rumeurs commençaient à circuler dans la ville à propos de certaines pratiques peu orthodoxes de Kolvenik. Des doutes apparurent concernant son passé et la façade de self-made-man qu'il se plaisait à présenter. La plupart de ces rumeurs mouraient entre les rédactions et les imprimeries des journaux, grâce à l'implacable machinerie légale de Velo-Granell. Comme avait l'habitude de dire Kolvenik : l'argent ne fait pas le bonheur, mais il achète tout le reste.

De leur côté, Sergueï et Tatiana Glazounov, les deux sinistres gardiens d'Eva Irinova, voyaient leur avenir en danger. Il n'y avait pas de chambres pour eux dans la nouvelle résidence en construction. Kolvenik, prévoyant le problème avec les jumeaux, leur offrit une généreuse somme d'argent pour annuler leur supposé contrat avec Eva Irinova. En échange, ils devaient quitter le pays pour toujours et s'engager à ne jamais reprendre contact avec elle. Sergueï, ivre de fureur, refusa net et jura à Kolvenik qu'il ne se débarrasserait jamais d'eux.

Le même matin, au moment où Sergueï et Tatiana sortaient d'un porche de la rue Sant Pau, une rafale de balles tirées d'une voiture faillit leur coûter la vie. L'agression fut mise sur le compte des anarchistes. Une semaine plus tard, les jumeaux signèrent le document par lequel ils s'engageaient à libérer Eva Irinova et à disparaître définitivement. La date du mariage fut fixée au 24 juin 1935. Le lieu : la cathédrale de Barcelone.

La cérémonie, que certains comparèrent au couronnement du roi Alphonse XIII, eut lieu par une matinée resplendissante. La foule se pressait dans l'avenue de la cathédrale, avide de jouir des fastes grandioses du spectacle. Eva Irinova n'avait jamais été aussi éblouissante. Au son de la marche nuptiale de Wagner interprétée par l'orchestre du Liceo sur les marches de la cathédrale, les mariés descendirent vers la voiture qui les attendait. Il ne leur manquait plus que trois mètres pour parvenir au landau attelé à des chevaux blancs, quand un homme rompit le cordon de sécurité et se précipita vers eux. On entendit des cris d'alarme. En se retournant, Kolvenik se trouva face aux yeux injectés de sang de Sergueï Glazounov. Aucun de ceux qui assistèrent à la scène ne devait jamais oublier ce qui se passa ensuite. Glazounov tira de sa poche un flacon en verre et en jeta le contenu sur la figure d'Eva Irinova. L'acide brûla le voile comme un nuage de vapeur. Un hurlement monta jusqu'au ciel. La foule se transforma en une horde affolée et, en un instant, l'agresseur se perdit dans la multitude.

Kolvenik s'agenouilla près de la mariée et la prit dans ses bras. Le visage d'Eva Irinova se décomposait comme une aquarelle fraîche dans l'eau. La peau fumante se rétracta en parchemin brûlant et la puanteur de la chair carbonisée envahit l'air. L'acide n'avait pas atteint les yeux de la jeune femme. On pouvait y lire l'horreur et l'agonie. Kolvenik voulut sauver le visage de son épouse en appliquant ses mains dessus. Il réussit seulement à faire tomber des lambeaux de chair morte tandis que l'acide dévorait ses gants. Quand, finalement, Eva perdit connaissance, son visage n'était plus qu'un grotesque masque d'os et de chair à vif.

Le Théâtre royal rénové n'ouvrit jamais ses portes. Après la tragédie, Kolvenik emmena sa femme dans la grande résidence inachevée du parc Güell. Eva Irinova ne remit jamais les pieds hors de cette maison. L'acide avait complètement détruit son visage et atteint ses cordes vocales. On disait qu'elle communiquait par le biais de notes écrites sur un bloc et qu'elle passait des semaines entières sans quitter ses appartements.

À la même époque, les problèmes financiers de Velo-Granell commencèrent à se manifester avec plus de gravité que ce qu'on avait soupçonné. Kolvenik se sentait acculé et, bientôt, on cessa de le voir dans l'entreprise. On disait qu'il avait contracté une étrange maladie qui le maintenait de plus en plus chez lui. De nombreuses irrégularités apparurent dans la gestion de Velo-Granell, ainsi que de surprenantes transactions qu'il avait réalisées dans le passé à titre personnel. Une fièvre de qu'en-dira-t-on et d'obscures accusations se propagea avec une terrible virulence. Kolvenik, reclus dans son refuge avec son Eva bien-aimée, devint un personnage de légende noire. Un pestiféré. Le gouvernement mit les biens de la société Velo-Granell sous séquestre. Les autorités judiciaires enquêtaient sur l'affaire dont, avec un dossier de mille pages, l'instruction ne faisait que commencer.

Les années suivantes, Kolvenik perdit sa fortune. Sa belle demeure se transforma en château de ruines et de ténèbres. La domesticité, après des mois de salaires impayés, l'abandonna. Seul son chauffeur personnel lui resta fidèle. Les rumeurs les plus répugnantes commencèrent à circuler. On racontait que Kolvenik et sa femme vivaient au milieu des rats, errant dans les couloirs de ce tombeau où ils s'étaient murés vivants.

En décembre 1948, un effroyable incendie dévora la demeure des Kolvenik. Les flammes, affirma le *Diario de Barcelona,* furent visibles de Mataró. Ceux qui s'en souviennent assurent que le ciel de Barcelone se couvrit d'un rideau écarlate et que des nuages de cendre balayèrent la ville au lever du jour, tandis que la foule contemplait en silence le squelette fumant des ruines. Les corps de Kolvenik et d'Eva furent retrouvés carbonisés dans les combles, étroitement enlacés. La photo en fut publiée à la une de *La Vanguardia*, sous le titre « La fin d'une ère ».

Au début de 1949, Barcelone commençait déjà à oublier l'histoire de Mihaïl Kolvenik et d'Eva Irinova. La grande métropole était en train de changer irrémédiablement, et le mystère de Velo-Granell faisait partie d'un passé légendaire, condamné à disparaître pour toujours.

11.

Le récit de Benjamín Sentís me poursuivit toute la semaine comme une ombre furtive. J'avais beau le retourner dans tous les sens, j'avais l'impression que des pièces manquaient dans son histoire. Lesquelles, c'était une autre question... Ces pensées me taraudaient jour et nuit tandis que j'attendais avec impatience le retour de Germán et de Marina.

Chaque après-midi, les cours terminés, je me rendais chez eux pour vérifier si tout était en ordre. Kafka m'attendait toujours devant la porte principale, parfois avec un trophée de chasse entre ses griffes. Je lui versais son lait et nous bavardions ou, plus précisément, il buvait son lait et je monologuais. J'eus plus d'une fois la tentation de profiter de l'absence des propriétaires pour explorer la résidence, mais j'y résistai. L'écho de leur présence était perceptible dans les moindres recoins. Je pris l'habitude d'attendre la tombée de la nuit dans la grande demeure vide, à la chaleur de leur compagnie invisible. Je m'asseyais dans le salon des tableaux et contemplais des heures durant les portraits que Germán Blau avait peints de son épouse quinze ans auparavant. Je voyais en eux une Marina adulte, la femme qu'elle était déjà en train de devenir. Je me demandais si je serais capable de créer un jour quelque chose d'une telle valeur. Ou même d'une valeur quelconque.

Le dimanche, je me plantai comme un pieu dans la gare de France. J'avais encore deux heures à attendre avant l'arrivée de l'express de Madrid. Je les occupai à parcourir l'édifice. Sous sa voûte, trains et voyageurs venus d'ailleurs se rassemblaient comme des oiseaux migrateurs. J'avais toujours pensé que les vieilles gares de chemin de fer étaient l'un des rares lieux magiques qui restaient encore dans le monde. Là, les fantômes de souvenirs et d'adieux se mêlaient aux départs de centaines de voyages pour des destinations lointaines et sans retour. « Si, un jour, je me perds, il faudra me chercher dans une gare », pensai-je.

Le sifflet de l'express de Madrid me tira de mes méditations. Le train entrait en gare à toute vitesse. Il fila vers sa voie, et le gémissement des freins envahit l'espace. Lentement, pesamment, le train s'arrêta. Les premiers voyageurs descendirent, silhouettes sans nom. Je parcourus le quai du regard tandis que mon cœur battait à tout rompre. Des douzaines de visages inconnus défilèrent devant moi. Soudain, je fus pris de doutes : je m'étais peut-être trompé de jour, de train, de ville ou de planète. Et à cet instant, j'entendis derrière moi une voix reconnaissable entre toutes.

— Mais en voilà une surprise, cher Óscar ! Vous nous avez bien manqué.

— Moi de même, répondis-je en serrant la main du vieux peintre.

Marina descendait du wagon. Elle portait la même robe blanche que le jour de son départ. Elle me sourit silencieusement, les yeux brillants.

— Comment était Madrid ? improvisai-je en prenant la valise de Germán.

— Magnifique. Et sept fois plus grande que la dernière fois que j'y suis allé, dit Germán. Si elle n'arrête pas de s'agrandir, cette ville finira un jour par dépasser les limites du plateau et tombera dans le vide.

Je notai dans le ton de Germán une bonne humeur et une énergie qui ne lui étaient pas habituelles. Je songeai que ce devait être le signe que les nouvelles du docteur de l'hôpital La Paz étaient encourageantes. En marchant vers la sortie, pendant que Germán s'adonnait avec délices à une intéressante conversation sur les progrès des sciences ferroviaires avec un employé ahuri, j'eus la possibilité de rester seul avec Marina. Elle me serra la main avec force.

— Comment ça s'est passé ? murmurai-je. Je trouve Germán très en forme.

— Bien. Très bien. Merci d'être venu nous accueillir.

— Merci à toi d'être revenue. Barcelone était très vide, ces derniers jours… J'ai un tas de choses à te raconter.

Nous arrêtâmes un taxi devant la gare, une vieille Dodge qui faisait plus de tapage que l'express de Madrid. Tandis que nous remontions les Ramblas, Germán contemplait les gens, les marchés et les kiosques de fleuristes avec un sourire épanoui.

— On dira ce qu'on voudra, cher Óscar, mais une

avenue comme celle-là, il n'y en a aucune autre au monde. Ne venez pas me parler de New York...

Marina approuvait les commentaires de son père, que ce voyage semblait avoir revigoré et rajeuni.

— Est-ce que demain n'est pas jour férié ? s'enquit-il.

— Si, dis-je.

— Alors vous n'avez pas classe...

— Techniquement, non.

Germán rit et, durant une seconde, je crus voir le jeune homme qu'il avait été un jour, des décennies plus tôt.

— Et dites-moi, cher Óscar, vous avez prévu quelque chose ?

À huit heures du matin, j'étais déjà chez eux, comme me l'avait demandé Germán. Le soir précédent, j'avais promis à mon tuteur que je travaillerais le double durant toute la semaine s'il me laissait libre ce lundi, puisque c'était jour férié.

— Je ne sais pas ce que tu manigances dernièrement. Ce collège n'est pas un hôtel, mais ce n'est pas non plus une prison. Tu es seul responsable de ton comportement, me prévint le père Seguí, soupçonneux. J'espère que tu sais ce que tu fais, Óscar.

En arrivant à la villa de Sarriá, je trouvai Marina dans la cuisine en train de préparer un panier de sandwichs et des thermos pour les boissons. Kafka suivait attentivement ses mouvements en se léchant les babines.

— Où allons-nous ? demandai-je, intrigué.

— C'est une surprise.

Peu après, Germán fit son apparition, euphorique et jovial. Il était habillé en pilote de rallye des années vingt. Il me serra la main et me demanda de l'accompagner au garage. Je découvris, à cette occasion, qu'ils en avaient un. En fait, ce n'était pas un mais trois, comme je pus le constater en faisant le tour de la propriété avec Germán.

— Je suis heureux que vous ayez pu vous joindre à nous, Óscar.

Il s'arrêta devant la troisième porte d'une remise couverte de lierre qui avait la taille d'une petite maison. La poignée de la porte grinça en s'ouvrant. Un nuage de poussière inonda l'intérieur plongé dans le noir. Ce lieu donnait l'impression d'être resté fermé pendant vingt ans. Squelette d'une vieille moto, outils rouillés et caisses empilées sous une couche de poussière épaisse comme un tapis persan. J'entraperçus une bâche grise qui couvrait ce qui semblait être une automobile. Germán saisit un coin de la bâche et me fit signe de l'imiter.

— À trois ? demanda-t-il.

À son signal, nous tirâmes tous les deux avec force, et la bâche se souleva comme le voile d'une mariée. Quand le nuage de poussière se fut dispersé dans la brise, la faible lumière qui filtrait à travers les arbres éclaira une vision : une rutilante Tucker des années cinquante, couleur lie de vin et jantes chromées, dormait à l'intérieur de cette caverne. Stupéfait, je regardai Germán. Il sourit avec fierté.

— Des voitures comme celle-là, on n'en fait plus, cher Óscar.

— Elle démarrera ? m'inquiétai-je en examinant ce qui, pour moi, était une pièce de musée.

— Ce que vous voyez là, Óscar, c'est une Tucker. Ça ne démarre pas : ça s'envole.

Une heure plus tard, nous roulions sur la route de la côte. Germán était au volant, sanglé dans son accoutrement de pionnier de l'automobile, un sourire épanoui aux lèvres. Marina et moi étions assis près de lui. Kafka avait la banquette arrière pour lui seul et dormait placidement. Toutes les voitures nous doublaient, mais leurs occupants se retournaient pour contempler la Tucker avec étonnement et admiration.

— Quand on a la classe, expliquait Germán, la vitesse est un détail.

Nous étions déjà près de Blanes, et je ne savais toujours pas où nous allions. Germán était concentré sur son volant et je ne voulais surtout pas le distraire. Il conduisait avec la courtoisie qu'il pratiquait en toute chose, cédant le passage à tout un chacun, fourmis comprises, et saluant cyclistes, promeneurs et motards de la garde civile. Après Blanes, un panneau nous annonça le village côtier de Tossa del Mar. Je me tournai vers Marina qui me fit un clin d'œil. Je me dis que nous allions peut-être au château de Tossa, mais la Tucker évita l'agglomération et prit la route étroite qui suit la côte en continuant vers le nord. C'était moins une route qu'un ruban suspendu entre le ciel et les à-pics dont les centaines d'ondulations serrées serpentaient à perte de vue. À travers les branches des pins qui s'accrochaient aux pentes escarpées, on pouvait voir la mer s'étaler comme une nappe d'un bleu incandescent. Quelque cent mètres plus bas, des dizaines de criques et de renfoncements inaccessibles traçaient une route secrète entre Tossa del Mar et la Punta Prima jouxtant le port de Sant Feliu de Guíxols, à quelque vingt kilomètres.

Au bout d'une vingtaine de minutes, Germán arrêta la voiture au bord de la route. Marina me regarda en me faisant signe que nous étions arrivés. Nous descendîmes, et Kafka se dirigea vers les pins comme s'il connaissait le chemin. Tandis que Germán s'assurait que les freins de la Tucker étaient convenablement serrés et qu'elle ne filerait pas toute seule, Marina s'approcha de la falaise qui surplombait la mer. Je la rejoignis et contemplai la vue. À nos pieds, une crique en forme de demi-lune entourait une langue de mer d'un vert transparent. Plus loin, le rivage s'abaissait en une succession de rochers et de plages qui dessinaient un arc jusqu'à la Punta Prima, au sommet de laquelle se dressait comme une sentinelle la silhouette de l'ermitage de Sant Elm.

— Allons, viens, me pressa Marina.

Je la suivis à travers les pins. Le sentier traversait le terrain d'une vieille maison abandonnée que les arbustes avaient envahie. De là, un escalier taillé dans le roc filait jusqu'à la plage de galets dorés. Une bande de mouettes s'envola à notre vue pour aller se réfugier sur les hauteurs qui couronnaient la crique et traçaient comme une basilique de roc, de mer et de lumière. L'eau était si cristalline que l'on pouvait lire chaque pli du sable qui en tapissait le fond. Une pointe rocheuse se dressait au milieu comme la proue d'un navire échoué. L'odeur de la mer était intense et une brise salée balayait la côte. Le regard de Marina se perdit sur l'horizon d'argent et de brume.

— C'est le coin que j'aime le plus au monde, dit-elle.

Elle voulut absolument me montrer tous les replis des escarpements. Je ne tardai pas à me rendre compte que j'allais finir par me fracasser le crâne ou me précipiter dans la mer la tête la première.

— Je ne suis pas une chèvre, protestai-je, en essayant de mettre un peu de bon sens dans cette pratique de l'alpinisme sans cordes.

Marina, ignorant mes supplications, escaladait des parois polies par les embruns et se glissait dans des cavités où la houle respirait comme une baleine pétrifiée. Pour ma part, au risque de perdre tout amour-propre, je m'attendais d'un moment à l'autre à me voir appliquer par le destin tous les articles de la loi de la gravitation. Mon pronostic ne fut pas long à devenir réalité. Marina avait sauté d'un bond sur un petit îlot pour inspecter une grotte entre les rochers. Je me dis que, si elle pouvait le faire, je pouvais au moins essayer. Un instant après, je barbotais comme un canard dans les eaux de la Méditerranée. Je tremblais de froid et de honte. Marina m'observait avec inquiétude depuis les rochers. Je gémis :

— Ça va. Je ne me suis pas fait mal.

— Elle est froide ?

— Mais non, balbutiai-je. Elle est très bonne.

Marina sourit et, sous mes yeux stupéfaits, elle ôta sa robe blanche et plongea. Elle émergea près de moi en riant. À cette époque de l'année, c'était une folie. Mais je décidai de l'imiter. Nous nageâmes quelques brasses énergiques, puis nous nous allongeâmes sur les pierres tièdes. Je sentis le sang battre plus fort dans mes tempes, et je ne saurais dire si la cause en était l'eau glacée ou ce que les sous-vêtements trempés de Marina laissaient voir en transparence. Elle aperçut mon regard et se leva pour aller chercher sa robe restée sur les rochers. Je l'observai marcher entre les pierres et contourner les rocs, chaque muscle de son corps se dessinant sous la peau humide. Je passai ma langue sur mes lèvres salées et songeai que j'avais une faim de loup.

Nous passâmes le reste de l'après-midi dans cette crique cachée du monde, en dévorant les sandwichs du panier pendant que Marina racontait l'histoire de la propriétaire de la maison abandonnée dans les pins.

Cette maison avait appartenu à une romancière hollandaise atteinte d'une étrange maladie qui la condamnait à devenir aveugle. Elle était au courant de ce qui l'attendait et décida de se faire construire un refuge au-dessus des falaises pour y vivre ses derniers jours de lumière, assise face à la plage et contemplant la mer.

— Elle vivait ici avec pour seuls compagnons Sacha, un berger allemand, et ses livres préférés. Après avoir perdu tout à fait la vue, certaine que ses yeux ne pourraient plus jamais voir un lever de soleil sur la mer, elle a demandé à l'un des pêcheurs qui avaient l'habitude de mouiller dans la crique de prendre Sacha en charge. Quelques jours plus tard, à l'aube, elle est montée dans une barque et a ramé vers le large. On ne l'a jamais revue.

teries et entretenant la conversation par des fils invisibles de magicienne. Moi, je restais muet, le front collé à la vitre et le moral au trente-sixième dessous. Marina me prit la main en silence et la garda dans les siennes.

Nous arrivâmes à Barcelone à la tombée de la nuit. Germán tint à me reconduire jusqu'à la porte de l'internat. Il arrêta la Tucker devant la grille et me tendit la main. Marina descendit et entra avec moi. Sa présence me brûlait et je ne savais comment me séparer d'elle.

— Óscar, s'il y a quelque chose…

— Non.

— Écoute, Óscar, il y a des choses que tu ne peux pas comprendre, mais…

— C'est évident, coupai-je. Bonsoir.

Je me détournai pour m'enfuir à travers le jardin.

— Attends ! dit Marina, restée à la grille.

Je m'arrêtai près du bassin.

— Je veux que tu saches que cette journée a été l'une des plus belles de ma vie, dit-elle.

Je me retournai pour répondre, mais elle avait déjà disparu.

Je gravis chaque marche de l'escalier comme si je portais des bottes de plomb. Je croisai quelques-uns de mes camarades. Ils me regardèrent d'un air gêné, comme si j'étais un inconnu. La rumeur de mes mystérieuses absences avait couru dans le collège. Mais je m'en moquais. Je pris le journal du jour sur la table du corridor et me réfugiai dans ma chambre. Je me couchai sur le lit, le journal sur la poitrine. J'entendis des voix dans le couloir. J'allumai la lampe de chevet et me plongeai dans le monde, pour moi irréel, du journal. Le nom de Marina semblait écrit à chaque ligne. « Ça va passer », pensai-je. Peu à peu, la routine des informations m'apaisa. Rien de mieux que de lire les problèmes des autres pour oublier les siens. Guerres, arnaques, assassinats, fraudes, hymnes, défilés et football. Le monde continuait son petit bonhomme de chemin. Plus calme, je poursuivis ma lecture. Tout d'abord, je ne la remarquai pas : c'était une information en petits caractères, une brève destinée à combler un blanc. Je pliai le journal et le plaçai en pleine lumière.

UN CADAVRE A ÉTÉ TROUVÉ
DANS UN ÉGOUT DU QUARTIER GOTHIQUE

Barcelone. Gustavo Berceo, rédaction.

Le corps de Benjamín Sentís, quatre-vingt-trois ans, habitant Barcelone, a été trouvé vendredi matin dans une bouche du collecteur n° 4 du réseau d'égouts de la Ciutat Vella. On ignore comment le cadavre a pu arriver dans ce secteur, fermé depuis 1941. La cause du décès est attribuée à un arrêt cardiaque. Mais, selon certaines sources, le corps du défunt aurait été amputé de ses mains. Benjamín Sentís, retraité, a connu une certaine notoriété dans les années quarante, lors du scandale de la société Velo-Granell dont il était actionnaire et principal associé. Ces dernières années, il vivait reclus dans un petit appartement de la rue Princesa, sans parenté connue et pratiquement ruiné.

— Cet homme t'a menti…

— Et maintenant il est mort.

Marina jeta un regard vers la maison, comme si elle craignait que Germán puisse nous entendre.

— Il vaudrait mieux que nous allions faire un tour, proposa-t-elle.

J'acceptai, bien que devant être de retour en classe dans moins d'une demi-heure. Nos pas nous dirigèrent vers le parc de Santa Amelia, à la limite du quartier de Pedralbes. Un hôtel particulier récemment restauré et transformé en centre civique se dressait au cœur du parc. Un ancien salon hébergeait maintenant une cafétéria. Nous nous assîmes à une table près d'une large porte-fenêtre. Marina lut à haute voix l'article que j'aurais presque pu réciter par cœur.

— Il n'est dit nulle part qu'il pourrait s'agir d'un assassinat, risqua Marina sans conviction.

— Pas besoin de le préciser. Un homme qui a vécu reclus durant vingt ans est trouvé mort dans les égouts, où quelqu'un s'est amusé à lui prélever les deux mains en guise de pourboire avant de laisser le corps…

— D'accord. C'est un assassinat.

— C'est plus qu'un assassinat, dis-je à bout de nerfs. Que faisait Sentís au milieu de la nuit dans un égout hors service ?

Un garçon qui essuyait des verres en s'ennuyant derrière le comptoir nous écoutait.

— Baisse la voix, murmura Marina.

J'acquiesçai et tentai de me calmer.

— Nous devrions peut-être aller à la police et raconter ce que nous savons, suggéra Marina.

— Mais nous ne savons rien, objectai-je.

— Nous en savons probablement plus qu'elle. Il y a une semaine, une mystérieuse femme en noir te fait parvenir une carte portant l'adresse de Sentís et le symbole du papillon noir. Tu vas voir Sentís, qui dit ne rien savoir de l'affaire mais te raconte une étrange histoire qui remonte à quarante ans et concerne de sombres événements auxquels ont été mêlés Mihaïl Kolvenik et la société Velo-Granell. Pour un motif qui lui appartient, il oublie de te dire qu'il fait partie de cette histoire, qu'il est en fait le fils de l'associé fondateur, l'homme pour qui ledit Kolvenik a créé deux mains artificielles après un accident du travail… Sept jours plus tard, Sentís est trouvé mort dans les égouts…

— Sans ses mains orthopédiques, ajoutai-je, en me rappelant la réticence qu'avait montrée Sentís à me serrer la main en me recevant.

En pensant à cette main rigide, j'eus un frisson.

Je poursuivis, en essayant de mettre de l'ordre dans mes idées :

— Pour une raison quelconque, quand nous sommes entrés dans cette serre, nous avons croisé le chemin de quelque chose, et maintenant voilà que nous faisons partie de cette chose. La dame en noir a eu recours à moi en me faisant remettre cette carte…

— Óscar, nous ne savons rien d'elle ni de ses motivations…

— Mais elle, elle sait qui nous sommes et où nous trouver. Et si elle le sait…

Marina soupira :

— Appelons tout de suite la police et oublions cette histoire le plus vite possible. Je n'aime pas ça du tout, et puis ce n'est pas notre affaire.

— Ça l'est, depuis que nous avons décidé de suivre la dame dans le cimetière...

Marina laissa errer son regard sur le parc. Deux enfants jouaient avec un cerf-volant en tentant de le faire monter dans le vent. Sans les quitter des yeux, elle murmura lentement :

— Qu'est-ce que tu suggères, alors ?

Elle savait parfaitement ce que j'avais en tête.

Le soleil se posait déjà sur l'église de la place de Sarriá quand nous nous engageâmes, Marina et moi, dans le Paseo de la Bonavona en direction du jardin d'hiver. Nous avions eu la précaution de nous munir d'une lanterne et d'une boîte d'allumettes. Nous tournâmes dans la rue Iradier et pénétrâmes dans les passages déserts qui bordent la ligne du chemin de fer. L'écho des trains montant vers Vallvidrera nous parvenait à travers les arbres. Nous ne tardâmes pas à trouver la ruelle où nous avions perdu la dame de vue, ainsi que la grille qui cachait, au fond, le jardin d'hiver.

Une couche de feuilles mortes couvrait les pavés. Des ombres gélatineuses s'étendaient autour de nous tandis que nous nous enfoncions dans l'épaisse végétation. L'herbe sifflait dans le vent et, au ciel, la face de la lune souriait entre les branches serrées. Dans la nuit tombante, le lierre qui couvrait la serre me fit penser à une chevelure de serpents. Nous contournâmes la construction pour trouver la porte de derrière. La lueur d'une allumette révéla le symbole de Kolvenik et de Velo-Granell, mangé par la mousse. Ma gorge se serra et je regardai Marina. Une pâleur cadavérique avait envahi son visage.

— C'est toi qui as eu l'idée de venir ici..., dit-elle.

J'allumai la lanterne, et sa clarté rougeâtre inonda le seuil de la serre. Je jetai un coup d'œil avant d'entrer. À la lumière du jour, le lieu m'avait semblé sinistre. Maintenant, de nuit, il m'apparaissait comme un décor de cauchemar. Le rayon de la lanterne révélait des reliefs sinueux entre les décombres. J'avançais, suivi de Marina, en levant haut la lanterne devant moi. Le sol, humide, crissait sous nos pas. L'horrible bruissement des mannequins de bois se frôlant entre eux parvint à nos oreilles. Je scrutai le rideau d'ombres au cœur de la serre. Un instant, je ne pus me rappeler à quelle hauteur nous avions laissé ces figurines suspendues à leurs cintres quand nous avions quitté les lieux. Je regardai Marina et vis qu'elle pensait la même chose.

— Quelqu'un est venu depuis la dernière fois..., dit-elle en désignant les silhouettes arrêtées à mi-hauteur.

Une houle de pieds se balançait. Je sentis comme une étreinte glacée à la base de ma nuque, et je compris que quelqu'un avait fait redescendre les figurines. Sans perdre une seconde, je me dirigeai vers le bureau et passai la lanterne à Marina.

— Qu'est-ce que nous cherchons ? chuchota-t-elle.

Je montrai l'album de vieilles photographies sur la table. Je le saisis et le glissai dans le sac que je portais dans le dos.

— Cet album ne nous appartient pas, Óscar, je ne sais pas si...

J'ignorai ses protestations et m'accroupis pour inspecter les tiroirs du bureau. Le premier contenait toutes sortes d'ustensiles rouillés, lames, pointes, scies au ruban édenté. Le deuxième était vide. Des petites araignées noires couraient sur le fond en cherchant refuge dans les interstices du bois. Je le refermai et tentai ma chance avec le troisième. La serrure était bloquée.

J'entendis la voix de Marina qui murmurait, angoissée :

— Qu'est-ce qui se passe ?

Je pris une lame du premier tiroir et tentai de forcer la serrure. Derrière moi, Marina tenait la lanterne en observant les ombres dansantes qui glissaient le long des murs de la serre.

— Tu en as encore pour longtemps ?

— Ne t'inquiète pas. Juste une minute.

Je pouvais sentir le pêne de la serrure au bout de la lame. Je creusai autour. Le bois sec, pourri, cédait avec facilité sous ma pression, en produisant des grincements sonores. Marina se pencha près de moi et posa la lanterne par terre.

— C'est quoi, ce bruit ? demanda-t-elle soudain.

— Ce n'est rien. C'est le bois du tiroir qui cède…

Elle mit sa main sur les miennes pour retenir mon mouvement. Un instant, le silence nous enveloppa. Je sentis le pouls accéléré de Marina sur ma peau. Puis, moi aussi, j'entendis le bruit. Le craquement des cintres en haut. Quelque chose était en train de bouger entre les figurines suspendues dans le noir. Je me forçai à scruter l'obscurité, juste le temps de percevoir le contour de ce qui me parut être un bras qui ondulait. Un des mannequins se décrochait, glissant comme une vipère entre des branches. D'autres silhouettes commencèrent à s'agiter en même temps. Je serrai la lame de toutes mes forces et me redressai en tremblant. À ce moment, quelqu'un ou quelque chose enleva la lanterne déposée à nos pieds. La lumière disparut dans un angle et nous fûmes plongés dans le noir le plus total. C'est alors que nous entendîmes le sifflement qui s'approchait.

J'attrapai la main de mon amie et nous courûmes vers la sortie. Sur notre passage, les cintres portant les figurines descendaient lentement, bras et jambes frôlant nos têtes, essayant d'agripper nos vêtements. Je sentis des ongles de métal sur ma nuque. J'entendis Marina crier et la poussai devant moi, la lançant à travers cette double haie infernale de créatures qui descendaient des ténèbres. Les rayons de lune qui filtraient à travers les interstices du lierre dévoilaient des visions de visages brisés, d'yeux de verre et de dentitions émaillées.

Je brandis la lame dans tous les sens avec l'énergie du désespoir. Je la sentis déchirer un corps dur. Un fluide épais imprégna mes doigts. Je retirai la main ; quelque chose entraînait Marina dans le noir. Elle hurla de terreur et je pus voir le visage sans regard, aux cavités vides et noires, de la danseuse en bois, qui serrait sur la gorge de Marina des doigts effilés comme des poignards. Sa face était couverte d'un masque de peau morte. Je me jetai de toutes mes forces sur elle et la fis tomber. Collés l'un à l'autre, Marina et moi reprîmes notre course éperdue vers la porte pendant que le mannequin décapité de la danseuse se relevait, pantin aux fils invisibles agitant des griffes qui cliquetaient comme des ciseaux.

En arrivant à l'air libre, je découvris que plusieurs silhouettes noires nous barraient la sortie du parc. Nous courûmes dans la direction opposée, vers une remise adossée au mur qui séparait la propriété de la voie ferrée. Une crasse accumulée depuis des dizaines d'années en couvrait les portes vitrées. Fermées à clef. Je brisai un carreau avec le coude et cherchai à tâtons une poignée. Celle-ci céda et la porte s'ouvrit vers l'intérieur. Nous nous précipitâmes. Les fenêtres du fond dessinaient deux taches de clarté laiteuse. On pouvait deviner de l'autre côté l'écheveau des fils électriques de la voie ferrée. Marina se retourna un instant pour regarder derrière nous. Des formes anguleuses se découpaient dans l'embrasure de la porte.

— Vite ! hurla-t-elle.

Je regardai désespérément autour de moi, cherchant n'importe quoi pour casser une fenêtre. Le cadavre rouillé d'une vieille voiture tombait en morceaux dans l'obscurité. La manivelle du moteur gisait devant. Je l'attrapai et m'en servis pour cogner sur la vitre, tout en me protégeant de la pluie d'éclats de verre. La brise nocturne me souffla à la figure et je sentis l'haleine viciée qui s'exhalait du tunnel.

— Par ici !

Marina se hissa jusqu'au trou dans la fenêtre tandis que je surveillais les silhouettes qui rampaient lentement vers l'intérieur du garage. Je brandis ma manivelle à deux mains. Brusquement, les figurines s'arrêtèrent et reculèrent d'un pas. Je les regardai sans comprendre, puis j'entendis comme un halètement mécanique au-dessus de moi. Je fis instinctivement un bond vers la fenêtre, juste au moment où un corps se détachait du plafond. Je reconnus les formes du policier sans bras. Son visage me parut couvert d'un masque de peau morte, grossièrement cousu. Les coutures saignaient.

— Óscar ! cria Marina de l'autre côté de la fenêtre.

Je me jetai la tête la première dans la gueule de la vitre brisée. Je compris qu'un éclat de verre me tailladait à travers la toile de mon pantalon. Je le sentis déchirer net la peau. J'atterris de l'autre côté et la douleur m'assaillit d'un coup. Je sentis la chaleur du sang qui coulait sous le tissu. Marina m'aida à me relever et nous nous lançâmes vers les rails pour atteindre l'autre côté. À cet instant, quelque chose agrippa ma cheville et me fit tomber à plat ventre sur la voie. Étourdi par le choc, je me retournai. La main d'une monstrueuse marionnette étreignait mon pied. Je me cramponnai à un rail et sentis le métal vibrer. La lumière lointaine d'un train se reflétait sur les murs. J'entendis le grondement des roues et le sol trembla sous mon corps.

Marina gémit en voyant le train approcher à toute vitesse. Elle s'accroupit à mes pieds et s'attaqua aux doigts de bois qui me retenaient prisonnier. Les phares du train l'éclairèrent. J'entendis le sifflement, en hurlant. Le pantin restait là, sans bouger : il tenait sa proie et ne la lâcherait pas. Marina luttait des deux mains pour me libérer. Un des doigts céda. Marina soupira. Une demi-seconde plus tard, le corps de cette chose se redressa et, de son autre main, attrapa Marina par le bras. Avec la manivelle que je tenais toujours, je frappai de toutes mes forces sur la face de cette figurine inerte, jusqu'à en faire éclater le crâne. Je découvris avec horreur que ce que j'avais pris pour du bois était de l'os. Il y avait de la vie dans cette créature.

Le rugissement du train se fit assourdissant, couvrant nos cris. Le ballast sous les rails tremblait. Le faisceau de lumière du train nous enveloppa de son halo. Je fermai les yeux et continuai de frapper ce sinistre pantin en y mettant toute mon âme, jusqu'à ce que je sente la tête se séparer du corps. Alors, seulement, ses griffes nous libérèrent. Nous roulâmes sur le ballast, aveuglés par la lumière. Des tonnes d'acier passèrent à quelques centimètres de nous en soulevant une pluie d'étincelles. Les morceaux désarticulés de la créature partirent dans tous les sens, fumant comme les braises qui jaillissent d'un foyer.

Quand le train fut passé, nous ouvrîmes les yeux. Je me tournai vers Marina et, de la tête, lui fis signe que j'étais indemne. Nous nous relevâmes lentement. Je sentis alors la douleur aiguë qui irradiait ma jambe. Marina passa mon bras autour de ses épaules et je pus ainsi atteindre l'autre côté de la voie. Une fois là, nous regardâmes derrière nous. Quelque chose bougeait entre les rails, brillant sous la lune. C'était une main de bois, tranchée par les roues du train. La main était secouée de spasmes de plus en plus espacés, puis elle finit par s'arrêter tout à fait. Sans prononcer un mot, nous montâmes entre les arbustes vers la ruelle qui menait à la rue Anglí. Les cloches de l'église sonnaient au loin.

Par chance, quand nous arrivâmes, Germán somnolait dans son atelier. Marina me guida sur la pointe des pieds vers une des salles de bains pour nettoyer ma blessure à la jambe à la lueur des bougies. Les murs et le sol étaient revêtus de carreaux de céramique qui reflétaient les flammes. Une baignoire monumentale se dressait au centre, posée sur quatre pieds de fer.

— Ôte ton pantalon ! dit Marina en me tournant le dos pour fouiller dans l'armoire à pharmacie.

— Quoi ?

— Tu m'as bien entendue.

Je fis ce qu'elle me commandait, et j'étendis la jambe sur le bord de la baignoire. La coupure était plus profonde que je ne l'avais pensé et le contour de la plaie avait pris une teinte violacée. Je fus saisi de nausées. Marina s'agenouilla et l'examina avec soin :

— Elle te fait mal ?

— Seulement quand je la regarde.

Mon infirmière improvisée prit du coton imprégné d'alcool et l'approcha de la blessure.

— Ça va te brûler…

Quand l'alcool mordit la plaie, je me cramponnai si fort au bord de la baignoire que je dus y laisser gravées mes empreintes digitales.

— Je suis désolée, murmura Marina, en soufflant sur la blessure.

— Et moi donc !

Je respirai profondément et fermai les paupières pendant qu'elle continua.

— Ce n'était pas après nous qu'elles en avaient, dit Marina.

Je ne compris pas bien ce qu'elle voulait dire.

— Ces créatures de la serre, précisa-t-elle sans me regarder. Elles cherchaient l'album de photographies. Nous n'aurions pas dû l'emporter…

Je sentis son haleine sur ma peau pendant qu'elle appliquait un gaze stérile.

— Dis-moi, commençai-je, pour l'autre jour, sur la plage…

Elle s'arrêta et leva les yeux.

— … Non. Rien.

Marina colla la dernière bande de sparadrap et m'observa en silence. Je crus qu'elle allait me dire quelque chose, mais elle se borna à se relever et à sortir de la salle de bains.

Je restai seul avec les bougies et un pantalon hors d'usage.

— Comment va ta jambe ? demanda-t-elle en tenant le cahier contre elle, les bras croisés dessus.

— Je survivrai. J'ai quelque chose à te montrer.

Je sortis l'album et m'assis à côté d'elle sur le bord de la fontaine. Je l'ouvris et en tournai les pages. Marina soupira en silence, perturbée par ces images.

— Tiens, c'est ici, dis-je en m'arrêtant sur une photographie vers la fin de l'album. Ce matin, en me levant, ça m'est venu tout d'un coup. D'abord, je n'avais rien remarqué, mais maintenant…

Marina observa la photographie. C'était une image en noir et blanc qui avait l'étonnante netteté que seuls possèdent d'habitude les anciens portraits exécutés en studio. On pouvait y voir un individu dont le crâne était brutalement déformé et que la faiblesse de sa colonne vertébrale maintenait difficilement debout. Il s'appuyait sur un homme jeune portant une blouse blanche, des lunettes rondes et une cravate assortie à sa moustache soigneusement taillée. Un médecin. Le docteur regardait l'objectif. Le patient avait mis une main devant ses yeux comme s'il avait honte de sa condition. Derrière eux, on distinguait le panneau d'une penderie et ce qui semblait être un cabinet médical. Dans un coin, une porte était entrouverte. Sur le seuil, observant timidement la scène, une très petite fille tenait une poupée. La photographie ressemblait plus à un document médical qu'à autre chose.

— Regarde bien, insistai-je.

— Je ne vois rien d'autre qu'un pauvre homme…

— Pas lui. Derrière.

— Il y a une fenêtre…

— Et qu'est-ce que tu vois par cette fenêtre ?

Marina fronça les sourcils.

— Tu le reconnais ? demandai-je en indiquant le dragon qui décorait l'immeuble faisant face à la pièce où la photographie avait été prise.

— Je l'ai déjà vu quelque part.

— C'est ce que j'ai pensé, moi aussi, confirmai-je. Ici, à Barcelone. Sur les Ramblas, en face du Théâtre du Liceo. J'ai vérifié une par une toutes les photographies de l'album, et c'est la seule qui ait été prise à Barcelone.

Je décollai l'image et la tendis à Marina. Au dos, en caractères presque effacés, on lisait :

Estudio Fotográfico Martorell-Borrás – 1951
Copia – Doctor Joan Shelley
Rambla de los Estudiantes 46-48, 1.° Barcelona

Marina me rendit la photographie en haussant les épaules.

— Il y a presque trente ans qu'elle a été prise, Óscar... Ça ne signifie rien...

— Ce matin, j'ai consulté l'annuaire du téléphone. Le dénommé Shelley y figure toujours, au 46-48 de la Rambla de los Estudiantes, premier étage. Je savais que ça me disait quelque chose. Et puis je me suis souvenu que Sentís avait mentionné que le docteur Shelley avait été le premier ami de Mihaïl Kolvenik à son arrivée à Barcelone...

Marina m'étudia.

— Et toi, pour fêter ce succès, tu ne t'es pas contenté de consulter l'annuaire...

Je le reconnus :

— J'ai appelé. C'est la fille du docteur Shelley qui m'a répondu, María. Je lui ai dit qu'il était de la plus haute importance pour nous d'avoir une conversation avec son père.

— Et elle t'a cru ?

— Au début, non. Mais quand j'ai mentionné le nom de Mihaïl Kolvenik, sa voix a changé. Son père a accepté de nous recevoir.

— Quand ?

Je consultai ma montre.

— Dans moins de trois quarts d'heure.

Nous prîmes le métro jusqu'à la place de Catalogne. Le soir venait quand nous sortîmes par l'escalier débouchant sur les Ramblas. Noël approchait et la ville était décorée de guirlandes lumineuses. Les lampes dessinaient des halos multicolores sur le Paseo. Des bandes de pigeons voletaient entre les kiosques de fleuristes et les cafés, les musiciens ambulants et les péripatéticiennes, les touristes et les autochtones, les policiers et les pickpockets, les citadins d'aujourd'hui et les fantômes des temps passés. Germán avait raison : une avenue comme celle-là, il n'y en avait aucune autre au monde.

La silhouette du Grand Théâtre du Liceo se dressa devant nous. C'était soir d'opéra et le diadème de lumières des marquises brillait de tous ses feux. De l'autre côté du Paseo, nous reconnûmes le dragon vert de la photographie au coin d'une façade, contemplant les passants. En le voyant, je me dis que l'histoire avait réservé les autels et les images pieuses à saint Georges, mais que le dragon, lui, avait hérité de la ville de Barcelone *ad vitam aeternam.*

Ce qui avait été le cabinet médical du docteur Joan Shelley occupait le premier étage d'un vieil immeuble aux relents d'ancien temps et à l'éclairage funèbre. Nous traversâmes un vestibule caverneux qui conduisait à un somptueux escalier en spirale. Marche après marche, nous entendions se perdre l'écho de nos pas. J'observai que les heurtoirs des portes étaient forgés en forme de visages d'anges. La lumière tombait du haut de l'escalier par des vitraux dignes d'une cathédrale, faisant de cet immeuble le plus grand kaléidoscope du monde. Comme dans toutes les constructions de cette époque, le premier étage était en réalité le troisième. Nous passâmes l'entresol et l'étage dit principal pour arriver enfin devant la porte sur laquelle une vieille plaque en bronze annonçait : *Dr Joan Shelley.* Je jetai un coup d'œil à ma montre. Au moment où Marina sonna, il restait tout juste deux minutes avant l'heure de notre rendez-vous.

La femme qui nous ouvrit devait s'être échappée d'une estampe religieuse. Évanescente, virginale, l'air vaguement mystique. Elle avait une peau d'albâtre, presque transparente, et ses yeux étaient si clairs que c'était à peine s'ils avaient une couleur. Un ange sans ailes.

— Madame Shelley ? demandai-je poliment.

Elle admit que telle était bien son identité, les yeux brillants de curiosité.

— Bonsoir, commençai-je. Mon nom est Óscar. Nous nous sommes parlé ce matin…

— Je me souviens. Entrez, entrez donc...

María Shelley se déplaçait au ralenti comme une danseuse sautant de nuage en nuage. Elle était de constitution fragile et répandait un parfum d'eau de rose. J'estimai qu'elle devait avoir une trentaine d'années, mais elle semblait plus jeune. Elle avait un poignet bandé et un foulard entourait son cou de cygne. Le vestibule était une chambre noire tapissée de velours et de miroirs ternis. L'appartement sentait le musée, comme si l'air qui y flottait était resté prisonnier depuis des dizaines d'années.

— Je vous remercie beaucoup de nous recevoir. Voici mon amie Marina.

María posa son regard sur Marina. J'ai toujours trouvé fascinante la manière dont une femme en examine une autre. Cette fois-là ne fit pas exception.

— Enchantée, dit-elle finalement, en traînant sur chaque syllabe. Mon père est d'un âge avancé. De tempérament un peu instable. Je vous prie de ne pas le fatiguer.

— Ne vous inquiétez pas, dit Marina.

María Shelley nous fit signe de la suivre. Définitivement, elle se mouvait avec une élasticité vaporeuse.

— Et vous dites que vous avez quelque chose qui appartient à feu M. Kolvenik ? s'enquit-elle.

— Vous l'avez connu ?

Son visage s'éclaira à l'évocation d'un temps révolu.

— En réalité, non... Mais j'ai tellement entendu parler de lui. Quand j'étais petite..., dit-elle, presque pour elle-même.

Les murs revêtus de velours noir étaient couverts d'images de saints, de vierges et de martyrs à l'agonie.

Les tapis étaient sombres et absorbaient le peu de lumière qui entrait par les interstices des volets fermés. Tandis que nous la suivions, je me demandai depuis combien de temps elle habitait là, seule avec son père. Avait-elle été mariée, avait-elle vécu, aimé ou senti quelque chose en dehors du monde oppressant de ces murs ?

María Shelley s'arrêta devant une porte coulissante et frappa.

— Père ?

Le docteur Joan Shelley, ou ce qu'il en restait, était assis dans un gros fauteuil devant le feu, emmitouflé dans des couvertures. Sa fille nous laissa seuls avec lui. Je tentai de détacher mes yeux de sa taille de guêpe pendant qu'elle se retirait. L'ancien docteur, en qui l'on reconnaissait difficilement l'homme de la photographie que j'avais dans ma poche, nous examinait en silence. Ses yeux distillaient la méfiance. La main posée sur un bras du fauteuil tremblait légèrement. Son corps sentait la maladie malgré un écran d'eau de Cologne. Son sourire sarcastique ne cachait pas la répugnance que lui inspiraient le monde en général et son propre état en particulier.

— Le temps fait du corps ce que la bêtise fait de l'âme, dit-il en se désignant lui-même. Il le pourrit. Que voulez-vous de moi ?

— Nous nous demandions si vous pourriez nous parler de Mihaïl Kolvenik.

— Je pourrais, mais je ne vois pas pourquoi, trancha le docteur. On en a assez parlé comme ça en son temps, et tout n'a été que mensonges. Si les gens pensaient vraiment le quart de ce qu'ils racontent, ce monde serait un paradis.

— Oui, mais nous, ce qui nous intéresse, c'est la vérité, insistai-je.

Le vieillard fit une moue qui se voulait moqueuse.

— On ne trouve pas la vérité, mon garçon. C'est elle qui nous trouve.

Je tâchai de sourire docilement, mais je commençais à soupçonner que cet homme ne voyait aucun intérêt à lâcher le morceau. Marina, comprenant ma crainte, prit l'initiative.

— Docteur Shelley, dit-elle doucement, il nous est tombé accidentellement dans les mains une collection de photographies qui pourrait avoir appartenu à M. Mihaïl Kolvenik. Sur l'une d'elles, on vous voit avec un de vos patients. C'est pour cette raison que nous nous sommes permis de venir vous déranger, dans l'espoir de pouvoir rendre la collection à son légitime propriétaire ou à la personne qui en tient lieu.

Cette fois, il n'y eut pas de phrase lapidaire en guise de réponse. Le médecin observa Marina, sans dissimuler sa surprise. Je me demandai pourquoi je n'avais pas eu l'idée de recourir à cet argument. J'en conclus que plus je laisserais à Marina le soin de mener la conversation, mieux ce serait.

— J'ignore de quelles photographies vous parlez, mademoiselle…

— Il s'agit d'un ensemble qui montre des patients atteints de malformations…, précisa Marina.

Un lueur s'alluma dans les yeux du docteur. Nous avions frappé au bon endroit. Il y avait de la vie sous les couvertures, en fin de compte.

— Qu'est-ce qui vous fait penser que cette collection appartenait à Mihaïl Kolvenik ? questionna-t-il en feignant l'indifférence. Ou que j'ai quelque chose à voir avec elle ?

— Votre fille nous a dit que vous étiez amis, dit Marina en évitant de répondre directement à la question.

— María a toutes les qualités de sa naïveté, affirma Shelley d'un air bougon.

Marina acquiesça, se leva et me fit signe de l'imiter.

— Je comprends, dit-elle poliment. Je vois que nous nous sommes trompés. Nous regrettons de vous avoir importuné, docteur. Viens, Óscar. Nous trouverons bien à qui nous devons rendre cette collection…

— Un moment ! l'arrêta Shelley.

Il se racla la gorge avant de nous inviter par geste à nous rasseoir.

— Vous l'avez encore, cette collection ?

Marina hocha la tête affirmativement en soutenant le regard du vieillard. Soudain Shelley émit ce que je supposai être un éclat de rire. Cela ressemblait au bruit que font les pages d'un vieux journal quand on les froisse.

— Comment puis-je savoir que vous dites la vérité ?

Marina m'adressa un ordre muet. Je sortis la photographie du sac et la tendis au docteur Shelley. Il la saisit de sa main tremblante et l'examina. Il l'étudia longtemps. Finalement, reportant son regard sur le feu, il commença à parler.

D'après ce que nous raconta le docteur Shelley, il était né d'un père britannique et d'une mère catalane.

Il s'était spécialisé en traumatologie dans un hôpital de Bournemouth. Quand il avait voulu s'installer à Barcelone, sa condition d'étranger lui avait fermé les portes des milieux de la bonne société où se forgent les carrières prometteuses. Tout ce qu'il avait pu obtenir avait été un poste dans l'unité médicale de la prison. Il y avait soigné Mihaïl Kolvenik quand celui-ci avait été passé à tabac dans sa cellule. À l'époque, Kolvenik ne parlait pas espagnol et encore moins catalan. La chance voulait que Shelley connaisse un peu d'allemand. Le docteur lui prêta de l'argent pour s'acheter des vêtements, le logea chez lui et l'aida à trouver un emploi chez Velo-Granell. Kolvenik lui voua une affection hors du commun et n'oublia jamais sa bonté. Une profonde amitié était née entre eux.

Plus tard, cette amitié eut l'occasion de fructifier encore en devenant une relation professionnelle. Beaucoup de patients du docteur Shelley nécessitaient des pièces d'orthopédie et des prothèses spéciales. Velo-Granell était leader dans ce type de production et, parmi ses dessinateurs, aucun ne montrait plus de talent que Mihaïl Kolvenik. Avec le temps, Shelley devint le médecin personnel de Kolvenik. Quand la fortune sourit à ce dernier, il voulut aider son ami en finançant la création d'un centre médical spécialisé dans l'étude des affections dégénératives et des malformations congénitales.

L'intérêt de Kolvenik pour ces questions remontait à son enfance pragoise. Shelley nous expliqua que la mère de Mihaïl avait mis au monde des jumeaux. L'un, Mihaïl, était né fort et sain. L'autre, Andrej, était atteint d'une malformation osseuse et musculaire incurable dont il était mort sept ans plus tard. Cet épisode avait marqué la mémoire du jeune Mihaïl et, en un certain sens, déterminé sa vocation. Kolvenik pensa toujours qu'avec un suivi médical adéquat et le développement d'une technologie capable de suppléer à ce que la nature avait refusé, son frère aurait pu atteindre l'âge adulte et vivre pleinement sa vie. Ce fut cette conviction qui le conduisit à consacrer son talent au dessin de mécanismes qui pouvaient, comme il se plaisait à dire, « compléter » les corps que la providence avait laissés de côté.

« La nature est comme un enfant qui joue avec nos vies. Quand elle se lasse de ses jouets cassés, elle les jette et les remplace par d'autres, disait Kolvenik. C'est notre responsabilité de les ramasser et de les raccommoder. »

Certains voyaient dans ces propos une suffisance proche du blasphème ; d'autres y voyaient seulement un espoir. L'ombre de son jumeau n'avait jamais quitté Mihaïl Kolvenik. Il croyait qu'un hasard capricieux et cruel avait décidé que c'était lui qui devait vivre et que c'était son frère qui devait naître avec la mort écrite dans son corps. Shelley nous expliqua que Kolvenik se sentait coupable et qu'il portait au plus profond de son cœur une dette envers Andrej et envers tous ceux qui, comme son frère, étaient marqués du stigmate de l'imperfection. Ce fut à cette époque qu'il commença à collectionner les photographies de phénomènes et de déformations du monde entier. Pour lui, ces êtres abandonnés par le destin étaient les frères invisibles d'Andrej. Sa famille.

— Mihaïl Kolvenik était un homme brillant, poursuivit le docteur Shelley. Ce genre d'individu inspire toujours la méfiance à ceux qui se sentent inférieurs. L'envie est un aveugle qui cherche à vous arracher les yeux. Tout ce qu'on a dit sur Mihaïl dans les dernières années de sa vie et après sa mort n'a été que calomnie... Ce maudit inspecteur... Florián. Il ne comprenait pas qu'on l'utilisait comme une marionnette pour avoir la peau de Mihaïl...

— Florián ? intervint Marina.

— Florián était l'inspecteur en chef de la brigade judiciaire, dit Shelley en mettant dans ces mots tout le mépris que lui permettait l'état de ses cordes vocales. Un raté, une sale bête, qui prétendait se faire un nom aux dépens de Velo-Granell et de Mihaïl Kolvenik. La seule chose qui me console est de penser qu'il n'a jamais réussi à rien prouver. Son obstination a mis fin à sa carrière. C'est lui qui a sorti de sa manche tout ce scandale des corps...

— Des corps ?

Shelley s'enferma dans un long silence. Il nous regarda tous les deux, et le sourire cynique affleura de nouveau.

— Cet inspecteur Florián..., demanda Marina. Savez-vous où nous pourrions le trouver ?

— Dans un cirque, avec tous les pitres de son espèce, répliqua Shelley.

— Est-ce que vous avez connu Benjamín Sentís, docteur ? demandai-je en tentant de renouer la conversation.

— Naturellement. J'avais avec lui des relations régulières. Comme associé de Kolvenik, Sentís se chargeait de la partie administrative de Velo-Granell. Un triste personnage qui, à mon avis, se prenait pour plus qu'il n'était. Pourri par l'envie.

— Vous savez que le corps de M. Sentís a été retrouvé, il y a une semaine, dans les égouts ?

— Je lis les journaux, répondit-il froidement.

— Ça ne vous a pas paru étrange ?

— Pas plus étrange que ce qu'on voit tous les jours dans la presse. Le monde est malade. Et moi, je commence à être fatigué. Vous n'avez plus d'autres questions ?

J'étais sur le point de l'interroger au sujet de la dame en noir quand Marina me devança en faisant non de la tête avec un sourire. Shelley tendit la main vers une sonnerie. Sa fille se présenta immédiatement, le regard rivé sur ses pieds.

— Ces jeunes gens s'en vont, María.

— Bien, père.

Nous nous levâmes. J'esquissai un geste pour récupérer la photographie, mais la main tremblante du docteur fut plus rapide.

— Cette photographie, si vous n'y voyez pas d'inconvénient, je la garde.

Sur ce, il nous tourna le dos et fit signe à sa fille de nous raccompagner. Juste avant de sortir de la bibliothèque, je me retournai pour jeter un dernier coup d'œil au docteur, et je pus le voir jeter la photographie dans le feu. Ses yeux vitreux surveillèrent sa combustion dans les flammes.

María Shelley nous guida en silence jusqu'au vestibule et, une fois là, elle eut un sourire d'excuse.

— Mon père est un homme difficile, mais il a bon cœur. Il a connu beaucoup de déceptions dans sa vie, et parfois son caractère s'en ressent…

Elle nous ouvrit la porte et alluma la lumière de l'escalier. Je lus une hésitation dans son regard, comme si elle voulait ajouter quelque chose mais avait peur de le faire. Marina, elle aussi, s'en aperçut, et elle lui tendit la main en signe de remerciement. María Shelley la serra. La solitude suintait par tous les pores de cette femme comme une sueur froide.

— Je ne sais pas ce que mon père vous a raconté…, dit-elle en baissant la voix et en détournant les yeux, apeurée.

— María ? appela la voix du docteur, du fond de l'appartement. À qui parles-tu ?

Une ombre couvrit le visage de María.

— Je viens, père, je viens…

Elle nous adressa un dernier regard désolé et rentra dans l'appartement. Juste à ce moment, je remarquai qu'elle portait au cou une petite médaille. J'aurais juré qu'elle représentait un papillon aux ailes noires déployées. La porte se referma avant que j'aie le temps de m'en assurer. Nous restâmes sur le palier, à écouter la voix tonitruante du docteur décharger sa fureur sur sa fille. La lumière s'éteignit. Un instant, je crus sentir une odeur de chair en décomposition. Elle venait de quelque part dans l'escalier, comme s'il y avait un animal mort dans l'obscurité. Il me sembla alors entendre des pas qui s'éloignaient vers le haut, et l'odeur, ou l'impression d'odeur, disparut.

— Partons d'ici, dis-je.

14.

Sur le chemin de la maison, je vis que Marina m'observait du coin de l'œil.

— Tu ne vas pas passer Noël avec ta famille ?

Je fis non de la tête, le regard perdu dans le trafic.

— Et pourquoi ?

— Mes parents sont constamment en voyage. Cela fait déjà plusieurs années que nous ne passons pas Noël ensemble.

Sans le vouloir, j'avais pris un ton tranchant, hostile. Nous fîmes le reste du trajet en silence. J'accompagnai Marina jusqu'à la grille de sa demeure et lui dis adieu.

J'étais en route pour l'internat, quand il commença de pleuvoir. Je contemplai de loin la rangée des fenêtres du quatrième étage du collège. Deux d'entre elles seulement étaient éclairées. La plupart des internes étaient partis pour les vacances de Noël et ne reviendraient pas avant quinze jours. C'était chaque année la même chose. L'internat restait désert, et seuls deux ou trois malheureux demeuraient là, aux bons soins de leurs tuteurs. Les deux années précédentes avaient été affreuses, mais cette fois, cela m'était égal. M'éloigner de Marina et de Germán était désormais impensable. Tant que je serais près d'eux, je ne me sentirais jamais seul.

Une fois de plus, je montai l'escalier conduisant à ma chambre. Le corridor était silencieux, abandonné. Toute cette aile du collège était déserte. Je supposai qu'il ne devait rester que Mme Paula, une veuve chargée du ménage qui vivait seule dans un petit appartement du troisième. Je percevais le bourdonnement perpétuel de son téléviseur à l'étage au-dessous. Je longeai la file des chambres vides jusqu'à la mienne. J'ouvris la porte. Un coup de tonnerre rugit au-dessus de la ville et se répercuta dans tout le collège. La lueur de l'éclair passa à travers les volets fermés de la fenêtre. Je me couchai sur le lit sans me déshabiller. J'écoutai l'orage se répandre peu à peu dans la nuit. J'ouvris le tiroir de la table de nuit et en sortis le croquis au crayon que Germán avait fait de Marina sur la plage. Je le contemplai dans la pénombre jusqu'à ce que le sommeil et la fatigue aient raison de moi. Je m'endormis en le serrant contre ma poitrine comme s'il s'agissait d'un porte-bonheur. Quand je me réveillai, mes mains étaient vides, le portrait avait disparu.

J'avais ouvert brusquement les yeux. Je sentais le froid et le souffle du vent sur ma figure. La fenêtre était ouverte et la pluie avait pris possession de ma chambre. Interdit, je m'étais redressé. J'avais cherché à tâtons la lampe de chevet et actionné l'interrupteur, mais sans succès. Il n'y avait pas de lumière. C'était alors que je m'étais rendu compte que le portrait avec lequel j'avais dormi n'était plus là : ni dans mes mains, ni sur le lit, ni par terre. Je me frottai les yeux sans comprendre. Soudain, je la sentis. Intense, pénétrante. Cette odeur de pourriture. Dans l'air. Dans la chambre. Sur mes propres vêtements, comme si quelqu'un avait frotté le cadavre d'un animal en décomposition contre ma peau pendant que je dormais. Je réprimai une nausée et, tout de suite après, une profonde panique s'empara de moi. Je n'étais pas seul. Quelqu'un ou quelque chose était entré par cette fenêtre durant mon sommeil.

Lentement, en tâtonnant, j'allai vers la porte. J'essayai d'allumer la lampe qui éclairait toute la chambre. Rien. J'inspectai le corridor qui se perdait dans les ténèbres. Je sentis de nouveau la puanteur, plus intense. Le sillage d'un animal sauvage. Soudain, il me sembla entrevoir une silhouette qui pénétrait dans la dernière chambre.

J'appelai d'une voix étranglée :

— Madame Paula ?

La porte se referma doucement. Je respirai avec force et m'avançai dans le corridor, déconcerté. Je m'arrêtai en entendant un sifflement, pareil à celui d'un reptile, qui murmurait un mot. Mon nom. La voix venait de l'intérieur de la chambre fermée.

— C'est vous, madame Paula ? balbutiai-je en tentant de contrôler le tremblement qui agitait mes mains.

Je fis un pas vers l'obscurité. La voix répéta mon nom. Une voix comme je n'en avais jamais entendu. Une voix rauque, cruelle, où saignait la maladie. Une voix de cauchemar. J'étais immobilisé dans le noir, incapable de bouger un muscle. En l'espace d'une interminable seconde j'eus l'impression que le couloir se rétrécissait et se contractait sous mes pieds, m'attirant vers ma chambre.

Au centre de la pièce, mes yeux distinguèrent avec une clarté parfaite un objet qui brillait sur le lit. C'était le portrait de Marina avec lequel j'avais dormi. Deux mains de bois, des mains de pantin, le tenaient. Des câbles ensanglantés affleuraient des poignets. Je sus alors avec certitude que ces mains étaient celles que Benjamín Sentís avait perdues dans les profondeurs des égouts. Arrachées sauvagement. La respiration me manqua.

La puanteur se fit insupportable, acide. Avec la lucidité de la terreur, je découvris la forme collée au mur, un être vêtu de noir, les bras en croix. Les cheveux emmêlés couvraient sa face. Du seuil, je vis ce visage se lever avec une lenteur infinie et sourire en exhibant des canines acérées qui luirent dans la pénombre. Sous les gants, des griffes commençaient à s'agiter comme des serpents. Je fis un pas en arrière et entendis encore une fois la voix murmurer mon nom. La forme rampait vers moi comme une gigantesque araignée.

Je laissai échapper un hurlement et refermai la porte à toute volée. Je tentai de la bloquer, mais je sentis un choc brutal. Dix griffes aiguisées comme des poignards avaient percé le bois. Je me lançai à toutes jambes dans le corridor pour en gagner l'autre extrémité et j'entendis la porte éclater en mille morceaux. Le couloir s'était transformé en un tunnel interminable. J'entrevis l'escalier à quelques mètres et me retournai pour regarder en arrière. La silhouette de cette créature infernale filait droit sur moi. La lueur que projetaient ses yeux trouait l'obscurité. J'étais pris.

Je courus vers le corridor qui menait aux cuisines, en faisant appel à ma parfaite connaissance des moindres recoins de mon collège. Je fermai la porte derrière moi. Inutile. La créature se lança contre elle et l'enfonça, en me précipitant au sol. Je roulai sur le carrelage et cherchai refuge sous la table. Je vis des jambes. Des dizaines d'assiettes et de verres volèrent en éclats autour de moi, formant un tapis de débris. Je distinguai dans le tas un couteau à lame dentelée et l'attrapai avec désespoir. La forme se pencha devant moi, comme un loup à l'entrée d'un terrier. Je brandis le couteau en direction de ce visage et la lame s'y enfonça comme dans de la glaise. Néanmoins, elle recula d'un demi-mètre, et je pus m'échapper vers l'autre bout de la cuisine. Je cherchai quelque chose pour me défendre, tout en reculant pas à pas. Je rencontrai un tiroir. Je l'ouvris. Des couverts, des ustensiles de cuisine, un briquet à gaz… tout un attirail inutilisable. Instinctivement, je m'emparai du briquet et tentai de l'allumer. Je vis l'ombre de la créature se dresser devant moi. Je respirai son haleine fétide. Des griffes s'approchaient de ma gorge. Juste à cet instant, la mèche du briquet prit feu et éclaira la chose à moins de vingt centimètres. Je fermai les yeux et retins mon souffle, convaincu que j'avais vu le visage de la mort et qu'il ne me restait qu'à attendre. L'attente se fit éternelle.

Lorsque je rouvris les yeux, elle était partie. J'entendis ses pas s'éloigner. Je la suivis jusqu'à ma chambre, et il me sembla entendre un gémissement. Je crus y lire de la douleur et de la rage. Lorsque j'arrivai à la porte de chez moi, je vis la créature en train de fouiller dans mon sac. Elle s'empara de l'album de photographies que j'avais pris dans le jardin d'hiver. Elle se retourna et nous nous dévisageâmes. Pendant un dixième de seconde, la lumière fantomatique de la nuit dessina le profil de l'intrus. Je voulus dire quelque chose, mais déjà la créature s'était jetée par la fenêtre.

Je courus et me penchai au-dehors, m'attendant à voir le corps précipité dans le vide. La silhouette glissait le long des gouttières à une vitesse invraisemblable. Sa cape noire ondulait dans le vent. De là, elle sauta sur les toits de l'aile est. Elle se faufila au milieu d'une forêt de gargouilles et de tours. Paralysé, j'observai cette apparition infernale qui s'éloignait sous l'orage avec des pirouettes impossibles, pareille à une panthère se déplaçant sur les toits de Barcelone comme dans sa jungle natale. Je m'aperçus que l'appui de la fenêtre était imprégné de sang. Je suivis la trace jusqu'au couloir sans comprendre tout de suite que ce sang n'était pas le mien. Mon couteau avait blessé un être humain. Je m'adossai au mur. Mes genoux se dérobaient et je m'assis par terre, recroquevillé, épuisé.

Je ne sais combien de temps je demeurai ainsi. Lorsque je réussis à me relever, je décidai de chercher refuge dans le seul endroit au monde où je croyais pouvoir me sentir en sécurité.

15.

J'arrivai chez Marina et traversai le jardin en aveugle. Je fis le tour de la maison pour passer par la cuisine. Un douce lumière dansait entre les fentes des volets. Je me sentis soulagé. Je frappai et entrai. La porte était ouverte. Malgré l'heure avancée, Marina écrivait dans son cahier sur la table de la cuisine à la lueur des bougies, Kafka sur les genoux. En me voyant, elle laissa le stylo s'échapper de ses doigts.

— Mon Dieu, Óscar ! s'exclama-t-elle en examinant mes vêtements abîmés et salis, et en palpant les griffures de mon visage. Mais qu'est-ce qu'il t'est arrivé ?

Après quelques tasses de thé brûlant, je parvins à raconter à Marina ce qui s'était passé, ou ce que je me rappelais, car je commençais à douter de mes sens. Elle m'écouta en tenant ma main dans les siennes pour me rassurer. Je suppose que mon aspect devait être encore pire que je ne l'avais imaginé.

— Est-ce que ça t'ennuierait que je passe la nuit ici ? Je ne savais pas où aller. Et je ne veux pas retourner à l'internat.

— Et je ne permettrai pas que tu le fasses. Tu peux rester chez nous le temps qu'il faudra.

— Merci.

Je lus dans ses yeux une inquiétude égale à celle qui me dévorait. Après les événements de cette nuit, cette maison n'était pas plus sûre que l'internat ou n'importe quel autre lieu. Cette présence qui nous avait suivis savait où nous trouver.

— Qu'est-ce que nous allons faire maintenant, Óscar ?

— Nous pourrions chercher cet inspecteur qu'a mentionné Shelley, Florián, et tâcher de comprendre de quoi il s'agit réellement…

Marina soupira.

— Écoute, risquai-je. Il vaut peut-être mieux que je m'en aille…

— Pas question. Je vais te préparer une chambre en haut, à côté de la mienne. Viens.

— Mais… que va dire Germán ?

— Germán sera ravi. Nous lui dirons que tu vas passer Noël avec nous.

Je la suivis dans l'escalier. Je n'étais jamais monté à l'étage. À la lueur du chandelier, je vis un couloir qui filait entre des rangées de portes en chêne massif. Ma chambre était au fond, contiguë à celle de Marina. Le mobilier semblait sortir de chez un antiquaire, mais tout était parfaitement net et bien rangé.

— Les draps sont propres, dit Marina, en ouvrant le lit. Il y a des couvertures dans l'armoire, si tu as froid. Et voici des serviettes de toilette. Je vais voir si je peux te trouver un pyjama de Germán.

— On pourra y mettre trois comme moi ! plaisantai-je.

— Mieux vaut trop que pas assez. J'en ai pour une seconde.

J'entendis ses pas s'éloigner dans le couloir. Je déposai mes vêtements sur une chaise et me glissai dans les draps frais et amidonnés. Je crois que, de toute ma vie, jamais je ne m'étais senti aussi fatigué. Mes paupières étaient des lames de plomb. À son retour, Marina apportait une espèce de chemise de nuit de deux mètres de long qui paraissait avoir été dérobée dans la collection de lingerie d'une infante.

— Ah, non ! protestai-je. Je ne dormirai pas avec ça !

— C'est tout ce que j'ai trouvé. Elle t'ira à merveille. Et puis Germán ne tolère pas que je laisse des garçons dormir tout nus chez nous. Question de principes.

Elle me lança la chemise de nuit et laissa quelques bougies sur la console.

— Si tu as besoin de quoi que ce soit, cogne à la cloison. Je suis de l'autre côté.

Nous nous regardâmes un instant en silence. Puis Marina détourna les yeux.

— Bonne nuit, Óscar, murmura-t-elle.

— Bonne nuit.

Je me réveillai dans une pièce baignée de lumière. La chambre était orientée à l'est et je voyais par la fenêtre un soleil resplendissant monter au-dessus de la ville. Avant de me lever, je constatai que les vêtements que j'avais quittés la veille avaient disparu de la chaise. Je compris ce que cela signifiait, et je maudis ces marques d'attention de Marina, convaincu qu'elles n'étaient pas si innocentes que ça. Une odeur de pain grillé et de café frais filtrait sous la porte. Abandonnant tout espoir de conserver ma dignité, je me résignai à descendre dans cet accoutrement ridicule. Je pus constater en longeant le couloir que toute la maison baignait dans la même luminosité magique. J'entendis les voix de mes hôtes qui bavardaient dans la cuisine. Je pris mon courage à deux mains et descendis l'escalier. Je m'arrêtai sur le seuil et toussai légèrement. Marina, qui était en train de servir le café à Germán, leva les yeux.

— Bonjour, belle dormeuse, dit-elle.

Germán se retourna et se leva courtoisement pour me tendre la main et me désigner une chaise.

— Bonjour, cher Óscar ! s'exclama-t-il avec enthousiasme. C'est un plaisir de vous avoir avec nous. Marina m'a déjà expliqué ce problème de travaux dans l'internat. Sachez que vous pouvez rester tout le temps qu'il faudra et en toute confiance. Vous êtes ici chez vous.

— Je ne sais comment vous remercier…

Marina me servit un bol de café avec un sourire malicieux en direction de la chemise de nuit.

— C'est formidable ce qu'elle te va bien !

— Oui, elle me va à ravir. Je me sens beau comme un astre. Où sont mes vêtements ?

— Je les ai un peu nettoyés et ils sèchent.

Germán me passa un plateau de croissants tout frais sortis de la pâtisserie Foix. J'en eus aussitôt l'eau à la bouche.

— Goûtez-en un, Óscar. Ce sont les Mercedes-Benz

des croissants. Et ne vous y trompez pas : ce que vous voyez là n'est pas de la marmelade, c'est un monument.

Je dévorai avidement tout ce qu'ils posaient devant moi, avec un appétit de naufragé. Germán feuilletait distraitement le journal. Il semblait d'excellente humeur et, bien qu'ayant lui-même terminé, il ne quitta pas la table avant que je ne sois totalement rassasié et qu'il ne reste que les couverts à manger. Puis il consulta sa montre.

— Tu vas être en retard à ton rendez-vous avec le curé, papa, lui rappela Marina.

Germán acquiesça avec une certaine résignation.

— Je ne sais pas pourquoi je me donne tout ce mal..., dit-il. Ce chenapan me tend plus de pièges tordus qu'un chasseur de canards.

— C'est l'uniforme, papa. Il croit qu'avec sa soutane tous les coups sont permis.

Je les regardai, déconcerté, sans avoir la moindre idée de ce qu'ils voulaient dire.

— Les échecs, m'éclaira Marina. Germán et le curé s'affrontent depuis des années.

— Ne provoquez jamais un jésuite aux échecs, cher Óscar, dit Germán en se levant. Croyez-moi ! Et maintenant, si vous permettez...

— Il n'y a pas de risques que ça m'arrive... Bonne chance.

Germán prit son pardessus, son chapeau et sa canne d'ébène, et partit se mesurer au prélat stratège. Dès qu'il fut parti, Marina sortit dans le jardin et revint avec mes vêtements.

— Je suis au regret de t'informer que Kafka a dormi dessus.

Ils étaient secs, mais il faudrait sûrement plus de cinq lessives pour faire disparaître l'odeur du félin.

— Ce matin, en allant chercher le petit déjeuner, j'ai appelé la préfecture de police depuis le café de la place. L'inspecteur Víctor Florián est à la retraite et habite à Vallvidrera. Il n'a pas le téléphone, mais on m'a donné son adresse.

— Je serai prêt dans une minute.

La gare du funiculaire de Vallvidrera était située à quelques rues de la maison de Marina. Marchant d'un bon pas, nous y fûmes en dix minutes et achetâmes nos billets. Vu du quai, au pied de la montagne, le quartier de Vallvidrera se dessinait comme un balcon au-dessus de la ville. Les maisons semblaient accrochées aux nuages par des fils invisibles. Nous nous assîmes à l'arrière du wagon et pûmes voir Barcelone se déployer au-dessous de nous tandis que le funiculaire grimpait lentement.

— Voilà un bon métier, dis-je : conducteur de funiculaires. Les ascenseurs du ciel.

Marina me regarda, sceptique.

— J'ai dit une bêtise ? lui demandai-je.

— Non. Mais si c'est là toute ton ambition…

— Je ne sais pas quelle est mon ambition. Tout le monde ne voit pas les choses aussi clairement que toi. Marina Blau, prix Nobel de littérature et conservateur en chef des chemises de nuit de la famille royale.

Je lus une telle sévérité sur le visage de Marina que je regrettai aussitôt ma réponse.

— Quand on ne sait pas où on va, on n'arrive nulle part, dit-elle froidement.

Je lui montrai mon billet :

— Mais moi je sais où je vais.

Elle détourna les yeux. Nous montâmes en silence pendant quelques minutes. La silhouette de mon collège émergeait au loin.

— Architecte, murmurai-je.

— Quoi ?

— Je veux être architecte. C'est ça, mon ambition. Je ne l'avais encore dit à personne.

Du coup, elle sourit. Le funiculaire arrivait en haut de la montagne et cliquetait comme une vieille machine à laver.

— J'ai toujours rêvé d'avoir ma cathédrale personnelle, dit Marina. Tu as des suggestions ?

— Gothique. Donne-moi le temps et je te la construirai.

Le soleil frappa son visage et ses yeux brillèrent, rivés sur moi.

— Tu me le promets ? demanda-t-elle en me tendant sa paume ouverte.

Je serrai sa main avec force.

— Je te le promets.

L'adresse que Marina avait obtenue correspondait à une vieille maison qui était pratiquement au bord de l'abîme. Les broussailles avaient pris possession du jardin. Une boîte aux lettres rouillée se dressait au milieu comme une ruine de l'ère industrielle. Nous nous faufilâmes jusqu'à la porte. On distinguait des tas de cartons mal ficelés et remplis de vieux journaux. La peinture de la façade se décollait comme de la peau sèche, usée par le vent et l'humidité. L'inspecteur Víctor

Florián ne gaspillait pas sa retraite en frais de représentation.

— C'est ici qu'on aurait besoin d'un architecte, dit Marina.

— Ou d'une entreprise de démolition.

Je frappai doucement à la porte. J'avais peur, en cognant plus fort, de faire basculer la maison dans le vide.

— Et si tu essayais avec la sonnette ?

Le bouton était cassé et l'on voyait dans ce qui en restait des connexions électriques datant d'Edison.

— Je ne mettrai pas mon doigt sur ce machin-là, répondis-je en frappant de nouveau.

Soudain, la porte s'ouvrit d'une dizaine de centimètres. Une chaîne de sûreté brilla devant deux yeux aux reflets métalliques.

— Qui êtes-vous ?

— Víctor Florián ?

— Ça, c'est moi. Ce que je vous demande, c'est : qui êtes-vous ?

La voix était autoritaire et sans une once de patience. La voix d'un homme habitué à dresser des procès-verbaux.

— Nous avons des informations concernant Mihaïl Kolvenik..., improvisa Marina en guise de présentations.

La porte s'ouvrit toute grande. Víctor Florián était un homme épais et musculeux. Je me dis qu'il n'avait pas dû changer de veste depuis le jour de son départ en retraite. Son expression était celle d'un vieux colonel sans guerre à livrer ni bataillon à commander. Un cigare éteint pendait de ses lèvres, et il avait plus de poils aux sourcils que la majorité des gens n'en ont sur tout le crâne.

— Qu'est-ce que vous savez de Kolvenik ? Comment vous appelez-vous ? Qui vous a donné mon adresse ?

Florián ne posait pas les questions, il mitraillait. Il nous fit entrer, après avoir jeté un regard au-dehors comme s'il craignait que nous ayons été suivis. L'intérieur de la maison était une vraie porcherie et sentait le renfermé. Il y avait plus de papiers que dans la bibliothèque d'Alexandrie, mais ils étaient tous en pagaïe, comme si un ventilateur les avait éparpillés.

— Allez dans le fond.

Nous passâmes devant une pièce dont le mur était tapissé de dizaines d'armes. Revolvers, pistolets automatiques, Mauser, baïonnettes... Avec moins d'artillerie que ça, on aurait pu démarrer une révolution.

— Sainte Vierge ! murmurai-je.

— Boucle-la, ce n'est pas une chapelle ! aboya Florián en fermant la porte de cet arsenal.

Le fond dont il avait parlé était une petite salle à manger d'où l'on pouvait voir tout Barcelone. Même en retraite, l'inspecteur continuait de tout surveiller d'en haut. Il nous indiqua un canapé plein de trous. Une boîte de flageolets entamée et une canette de bière Estrella Dorada sans verre étaient posées sur la table. Pension de flic, vieillesse de pauvre, pensai-je. Florián s'assit sur une chaise face à nous et prit un réveil de pacotille. Il le planta sur la table, juste sous nos yeux.

— Quinze minutes. Si, dans un quart d'heure, vous ne m'avez pas dit quelque chose que j'ignorais, je vous vire à coups de latte.

Il nous fallut passablement plus de quinze minutes pour relater tout ce qui nous était arrivé. À mesure que nous avancions dans notre récit, la façade que nous opposait Víctor Florián se lézardait. Et l'on devinait derrière un homme usé, apeuré, qui se terrait dans cette tanière avec ses vieux journaux et sa collection de pistolets. Quand nous eûmes terminé, il prit son cigare, et, après l'avoir examiné en silence pendant près d'une minute, l'alluma.

Puis, le regard perdu dans la brume qui donnait à la ville un aspect irréel, il parla.

16.

— En 1945, j'étais déjà inspecteur à la brigade judiciaire de Barcelone, raconta Florián. Je pensais demander mon transfert à Madrid, quand j'ai été chargé de l'affaire Velo-Granell. La brigade enquêtait depuis trois ans sur Mihaïl Kolvenik, un étranger que le régime ne voyait pas d'un très bon œil… Mais ils avaient été incapables de prouver quoi que ce soit. Mon prédécesseur dans le dossier avait renoncé. Velo-Granell était protégée par un mur d'avocats et un labyrinthe de sociétés financières où tout se perdait dans les nuages. Mes supérieurs m'ont fait miroiter ça comme une chance unique pour ma carrière. Des affaires comme celle-là, me disaient-ils, vous propulsaient dans un bureau personnel au ministère avec chauffeur et horaires à la carte. Ambitieux devrait rimer avec imbécile…

Florián observa une pause pour savourer ses paroles et s'adresser à lui-même un sourire sarcastique. Il mordillait son cigare comme si c'était un bâton de réglisse.

— Lorsque j'ai étudié le dossier, continua-t-il, j'ai constaté que ce qui avait débuté comme une banale enquête sur des irrégularités financières et des possibles fraudes avait fini par se transformer en une affaire dont personne ne savait plus exactement de quel service elle relevait. Extorsion de fonds. Vols. Tentative d'homicide... Et il y avait encore autre chose... Il faut que vous sachiez que j'avais déjà une large expérience en matière de malversations, évasion fiscale, fraude et corruption de fonctionnaires... C'est vrai que ces irrégularités n'étaient pas toujours sanctionnées, l'époque était différente, mais enfin nous savions tout.

Mal à l'aise, Florián s'immergea dans le nuage bleu de sa fumée.

— Pourquoi avoir accepté, alors ? demanda Marina.

— Par suffisance. Par ambition et par envie, répondit Florián en employant pour lui-même le ton que je l'imaginais réserver aux pires criminels.

— Peut-être aussi pour chercher la vérité, aventurai-je. Pour que justice soit faite...

Florián me sourit tristement. On pouvait lire, dans ce regard, trente ans de remords.

— À la fin de 1945, Velo-Granell était déjà techniquement en banqueroute, poursuivit-il. Les trois principales banques de Barcelone lui avaient supprimé toutes ses lignes de crédit et les actions de la société n'étaient plus cotées. Avec la disparition des bases financières, la muraille légale et l'écheveau de sociétés fantômes se sont effondrés comme un château de cartes. Les jours de gloire n'étaient plus que lointaine fumée. Le Grand Théâtre royal, fermé depuis la tragédie qui avait défiguré Eva Irinova le jour de son mariage, était devenu une ruine. La fabrique et les ateliers ont cessé de fonctionner. Les biens de l'entreprise ont été saisis. Les rumeurs se répandaient comme une gangrène. Kolvenik, sans perdre son sang-froid, a décidé d'organiser un luxueux cocktail dans la Lonja de Barcelone afin de donner une impression de calme et de retour à la normale. Son associé, Sentís, était au bord de la panique. Il n'y avait pas d'argent pour payer ne fût-ce que la dixième partie du buffet commandé pour l'occasion. Des invitations ont été envoyées à tous les gros actionnaires, toutes les grandes familles de Barcelone... Le soir de la réception, il pleuvait à verse. La Lonja était décorée comme un palais de rêve. Passé neuf heures, les domestiques de tout le gratin de la ville, des gens dont beaucoup devaient leur fortune à Kolvenik, ont défilé pour apporter des lettres d'excuses. Quand je suis arrivé, après minuit, j'ai trouvé Kolvenik seul dans la salle, impeccable dans son smoking immaculé, fumant une de ces cigarettes qu'il faisait venir spécialement de Vienne. Il m'a salué et offert une coupe de champagne : « Mangez donc, inspecteur, c'est trop dommage de voir toutes ces bonnes choses se perdre. » Nous ne nous étions encore jamais trouvés face à face. Nous avons bavardé pendant une heure. Il m'a parlé de livres qu'il avait lus dans son adolescence, de voyages qu'il n'avait jamais réussi à faire... Kolvenik était un homme fascinant. L'intelligence brûlait dans ses yeux. J'ai eu beau faire, je n'ai pu m'empêcher de le trouver sympathique. Mieux encore, j'ai eu de la peine pour lui, alors que j'étais censé être le chasseur et lui le gibier. J'ai remarqué qu'il boitait et qu'il s'appuyait sur une canne d'ivoire sculptée. « Je crois que personne n'a perdu autant d'amis en un jour », lui ai-je dit. Il a souri et réfuté tranquillement cette idée : « Vous vous trompez, inspecteur. Dans des occasions comme celle-ci, ce ne sont jamais les amis qu'on invite. » Il m'a demandé très poliment si je comptais poursuivre mon enquête. Je lui ai répondu que je ne m'arrêterais pas tant que je ne l'aurais pas traîné devant les tribunaux. Je me souviens de sa question : « Qu'est-ce que je pourrais faire pour vous en dissuader, mon cher Florián ? » J'ai répondu : « Me tuer. » Il a souri : « Chaque chose en son temps, inspecteur. » Sur ces mots, il s'est éloigné en boitant. Je ne l'ai pas revu… mais je suis toujours vivant. Kolvenik n'a pas accompli sa menace.

Florián marqua une pause et but une gorgée d'eau en la savourant comme si ce devait être la dernière en ce monde. Il passa sa langue sur ses lèvres et reprit son récit.

— À dater de ce jour, Kolvenik, isolé et abandonné de tous, a vécu reclus avec sa femme dans la grotesque forteresse qu'il s'était fait construire. Nul ne l'a vu dans les années suivantes. Seules deux personnes avaient accès à lui. Son ancien chauffeur, un certain Luis Claret. C'était un malheureux qui adorait Kolvenik et avait refusé de le quitter, même quand tout salaire était devenu impossible. Et son médecin personnel, le docteur Shelley, sur qui nous menions également une enquête. Personne d'autre ne voyait Kolvenik. Et le témoignage de Shelley qui nous assurait qu'il se trouvait dans sa maison du parc Güell, atteint d'une maladie qu'il n'a pas su nous expliquer, ne nous paraissait pas du tout convaincant, surtout après avoir jeté un coup d'œil sur ses archives et sa comptabilité. Un temps, nous en sommes arrivés à soupçonner que Kolvenik était mort ou qu'il avait fui à l'étranger, et que tout ça n'était qu'une comédie. Shelley continuait de prétendre qu'il avait contracté un mal étrange qui le maintenait confiné dans sa maison. Kolvenik ne pouvait pas recevoir de visiteurs ni sortir de son refuge en aucune circonstance, affirmait-il de façon péremptoire. Je refusais de le croire, et le juge était comme moi. Le 31 décembre 1948, nous avons obtenu un mandat de perquisition pour fouiller le domicile de Kolvenik, avec ordre de l'arrêter. Une grande partie des papiers confidentiels de la société avait disparu. Nous le soupçonnions de les cacher chez lui. Nous avions amassé assez d'indices pour l'accuser de fraude et d'évasion fiscale. Ça n'avait aucun sens d'attendre encore. Le dernier jour de 1948 devait être pour Kolvenik son dernier jour de liberté. Une brigade spéciale était prête à aller le cueillir le lendemain matin dans son donjon. Avec les grands criminels, il arrive que l'on doive se résigner à les attraper par des détails…

Le cigare de Florián s'était de nouveau éteint. L'inspecteur lui lança un dernier coup d'œil et le jeta dans un pot de fleurs vide qui servait de fosse commune pour les mégots.

— Dans la nuit, un monstrueux incendie a dévoré la propriété, mettant fin aux jours de Kolvenik et de sa femme Eva. À l'aube, on a retrouvé leurs corps carbonisés, enlacés dans une ultime étreinte. Avec eux, tous mes espoirs de boucler le dossier étaient partis en fumée. Personne n'a eu le moindre doute sur le fait que l'incendie avait été provoqué. J'ai cru un temps que c'étaient Sentís et d'autres anciens de la direction de l'entreprise qui étaient derrière.

— Sentís ? l'interrompis-je.

— Ce n'était pas un secret que Sentís haïssait Kolvenik qui avait obtenu le contrôle de la société de son père ; mais aussi bien lui que les autres avaient les meilleures raisons du monde de souhaiter que l'affaire n'arrive jamais devant les tribunaux. Le chien mort, partie la rage. Sans Kolvenik, le puzzle perdait son sens. On pourrait dire que, cette nuit-là, beaucoup de mains tachées de sang ont été purifiées par le feu. Mais, une fois de plus, comme pour tout ce qui touchait de près ou de loin ce scandale depuis le premier jour, on n'a rien pu prouver. Tout a fini en cendres. Aujourd'hui encore, le dossier Velo-Granell reste la plus grande énigme de l'histoire de la police judiciaire de cette ville. Et la plus grande défaite de ma vie…

— Mais l'incendie n'était pas votre faute, observai-je.

— Ma carrière en a été brisée. J'ai été affecté à la brigade antisubversive. Vous savez ce que c'était ? Les chasseurs de fantômes, c'est comme ça qu'on nous appelait dans le service. J'aurais bien démissionné, mais c'était un temps de vaches maigres et, avec mon salaire, j'entretenais mon frère et sa famille. Et puis personne n'aurait donné un emploi à un ancien flic. Les gens étaient fatigués des espions et des mouchards. Alors je suis resté. Le travail consistait à faire des descentes au milieu de la nuit dans des pensions sordides qui hébergeaient des anciens combattants et des mutilés de guerre, pour chercher des exemplaires du *Capital* et des brochures socialistes cachées dans des sacs en plastique au fond de la chasse d'eau des cabinets, enfin, vous voyez le genre… Au début de

1949, je croyais que j'avais touché le fond. Rien de pire ne pouvait plus m'arriver. Du moins, c'est ce que je pensais. À l'aube du 13 décembre 1949, presque un an après l'incendie où étaient morts Kolvenik et sa femme, on a découvert les corps déchiquetés de deux inspecteurs de mon ex-brigade aux portes des ateliers de Velo-Granell, au Borne. On a su qu'ils étaient venus enquêter là sur la foi d'une information anonyme qui leur était parvenue dans le cadre de l'enquête sur la société. Une mort comme la leur, je ne la souhaite pas à mon pire ennemi. Même les roues d'un train ne font pas à un corps ce que j'ai vu à la morgue... C'étaient de bons policiers. Armés. Ils savaient ce qu'ils faisaient. Selon le rapport, plusieurs voisins avaient entendu des coups de feu. On a trouvé quatorze douilles de calibre neuf millimètres sur les lieux du crime. Toutes provenaient des armes de service des inspecteurs. On n'a pas trouvé un seul impact ni une seule balle sur les murs.

— Comment ça s'explique ? questionna Marina.

— Ça ne s'explique pas. C'est simplement impossible. Et pourtant... J'ai vu moi-même les douilles et j'ai passé tout le secteur au peigne fin.

Marina et moi échangeâmes un regard.

— Et si les coups de feu avaient été tirés contre un objet, une voiture ou un camion par exemple, qui aurait absorbé les balles avant de disparaître sans laisser de traces ? avança Marina.

— Ta copine ferait un bon flic. C'est bien l'hypothèse que nous avons envisagée à l'époque, mais il n'y avait rien pour l'étayer. Les projectiles de ce calibre tendent à ricocher sur des surfaces métalliques et laissent les traces de plusieurs impacts, ou, dans le pire des cas, quelques éraflures. On n'a rien trouvé.

— Quelques jours plus tard, à l'enterrement de mes camarades, j'ai rencontré Sentís, continua Florián. Il était hagard, l'air de ne pas avoir dormi depuis des jours. Ses vêtements étaient sales et il empestait l'alcool. Il m'a avoué qu'il n'osait pas rentrer chez lui, qu'il errait et dormait dans les lieux publics… « Ma vie ne vaut plus un clou, Florián, m'a-t-il dit. Je suis un homme mort. » Je lui ai proposé la protection de la police. Il a ri. Je lui ai même offert de se réfugier chez moi. Il a refusé. « Je ne veux pas avoir votre mort sur la conscience, Florián », a-t-il dit avant de se perdre dans la foule. Dans les mois qui ont suivi, tous les anciens membres du conseil d'administration de Velo-Granell sont décédés, théoriquement de façon naturelle. Les conclusions du médecin ont été chaque fois les mêmes : arrêt cardiaque. Les circonstances étaient identiques. Seuls dans leurs lits, toujours à minuit, toujours après s'être traînés sur le sol… pour fuir une mort qui ne laissait pas de traces. Tous, sauf Benjamín Sentís. En trente ans, je n'ai plus jamais entendu parler de lui, jusqu'à ces dernières semaines…

— Jusqu'à sa mort, précisai-je.

Florián acquiesça.

— Il a téléphoné au commissariat et m'a demandé. Il disait détenir une information sur les crimes de la fabrique et sur l'affaire Velo-Granell. Je l'ai rappelé et lui ai parlé. J'ai pensé qu'il délirait, mais j'ai accepté de le voir. Par pitié. Nous avons pris rendez-vous dans un café de la rue Princesa pour le lendemain. Il n'est pas venu. Deux jours plus tard, un vieil ami du commissariat m'a appelé pour me dire qu'on avait découvert son cadavre dans un secteur abandonné des égouts de la Ciutat Vella, la vieille ville. Les mains artificielles que Kolvenik avait créées pour lui avaient été amputées. Mais ça, c'est juste ce qui est paru dans la presse. Ce que les journaux n'ont pas dit, c'est que la police a trouvé un mot écrit avec du sang sur le mur du tunnel : *Teufel*.

— *Teufel* ?

— C'est de l'allemand, dit Marina. Ça veut dire Diable.

— C'est aussi le nom du symbole de Kolvenik, nous apprit Florián.

— Le papillon noir ?

Il hocha affirmativement la tête.

— Pourquoi l'appelle-t-on comme ça ? demanda Marina.

— Je ne suis pas entomologiste. Je sais seulement que Kolvenik les collectionnait.

Midi approchait, et Florián nous invita à manger un morceau dans un café proche de la gare du funiculaire. Nous avions tous les deux hâte de sortir de cette maison.

Le patron du café semblait être un ami et il nous donna une table à l'écart, près de la fenêtre. Il sourit :

— Alors, chef, vos petits-enfants sont venus vous voir ?

Ledit chef acquiesça sans donner d'autres explications. Un garçon nous servit une tortilla et du *pan con tomate* : il apporta aussi un paquet de cigarettes Ducados pour Florián. Nous fîmes honneur à la nourriture, qui était excellente. Florián poursuivit son récit.

— En commençant mon enquête sur Velo-Granell, j'avais fait des recherches sur le passé de Mihaïl Kolvenik qui ne me semblait pas clair… Mihaïl n'était probablement pas son vrai prénom.

— Comment s'appelait-il, alors ?

— Ça fait plus de trente ans que je me pose la question. En fait, quand j'ai pris contact avec la police de Prague, ils ont bien découvert un individu répondant au nom de Mihaïl Kolvenik, mais c'était sur les registres de la Wolfterhaus.

— C'est quoi ?

— L'asile de fous municipal. Pourtant, je ne crois pas que Kolvenik y soit jamais allé. Simplement, il a pris le nom d'un des internés. Kolvenik n'était pas fou.

— Pour quelle raison Kolvenik aurait-il adopté le nom d'un pensionnaire de l'asile ? demanda Marina.

— Ce n'était pas si rare que ça, à l'époque. En temps de guerre, changer d'identité signifie naître une seconde fois. Laisser derrière soi un passé indésirable. Vous êtes très jeunes, et vous n'avez pas vécu une guerre. On ne connaît pas vraiment les gens tant qu'on n'a pas vécu une guerre…

— Est-ce que Kolvenik avait quelque chose à cacher ? demandai-je. Pour qu'on ait retrouvé son nom dans les archives de la police de Prague, il devait bien y avoir une raison…

— Pure coïncidence entre les noms. Bureaucratie. Croyez-moi, je sais de quoi je parle. À supposer que le Kolvenik figurant dans leurs dossiers ait bien été le nôtre, il n'avait laissé que peu de traces. Son nom était mentionné dans l'enquête sur la mort d'un chirurgien pragois, un homme répondant au nom d'Antonin Kolvenik. L'affaire a été classée : la mort a été attribuée à des causes naturelles.

— Dans ce cas, pour quelle raison a-t-on envoyé ce Mihaïl Kolvenik à l'asile ? questionna Marina.

Florián hésita quelques instants, comme s'il avait de la difficulté à répondre.

— Il était soupçonné d'avoir fait quelque chose avec le corps du défunt.

— Quelque chose ?

— La police de Prague n'a pas précisé quoi, répliqua sèchement Florián en allumant une autre cigarette.

Nous restâmes un long moment silencieux.

— Et cette histoire que nous a racontée le docteur Shelley ? Le frère jumeau de Kolvenik, l'affection dégénérative et...

— Ça, c'est ce que Kolvenik a bien voulu dire. Cet homme mentait comme il respirait. Et Shelley avait de bonnes raisons pour le croire sans poser de questions. Kolvenik finançait son institut médical et ses recherches jusqu'à la dernière peseta. Shelley était pratiquement un employé de Velo-Granell. Un mercenaire...

— Le jumeau de Kolvenik aurait donc été une fiction ? – J'étais déconcerté. – Sa prétendue existence n'aurait été là qu'afin de justifier l'obsession de Kolvenik pour les victimes des malformations et...

— Je ne crois pas que le frère ait été une fiction, coupa Florián. À mon avis.

— Alors ?

— Je crois que cet enfant dont il parlait, c'était en réalité lui-même.

— Encore une question, inspecteur…

— Je ne suis plus inspecteur, ma fille.

— Víctor, alors. Vous êtes toujours Víctor, non ?

Ce fut la première fois que je vis Florián sourire, un sourire ouvert et détendu.

— Quelle est la question ?

— Vous nous avez dit qu'en enquêtant sur les accusations de fraude de Velo-Granell on avait découvert qu'il y avait encore autre chose…

— Oui. Au début, nous avons cru qu'il s'agissait du subterfuge classique : notes de frais et rémunérations bidon pour échapper à l'impôt, dons à des hôpitaux, des centres d'accueil pour indigents, etc. Jusqu'au moment où l'un de mes hommes a trouvé étrange que certaines dépenses soient facturées, avec la signature pour approbation du docteur Shelley, par le service de dissection de plusieurs hôpitaux de Barcelone. Le dépôt des cadavres, précisa l'ex-policier. La morgue, quoi.

— Kolvenik vendait des cadavres ? suggéra Marina.

— Non. Il les achetait. Par douzaines. Des clochards. Des gens qui mouraient sans famille ni connaissances. Suicidés, noyés, abandonnés… Les oubliés de la ville.

Le murmure d'une radio se perdait dans le fond comme pour faire écho à notre conversation.

— Et qu'est-ce que Kolvenik faisait de ces corps ?

— Personne ne le sait. Nous n'avons jamais réussi à les trouver.

— Mais vous, vous avez une théorie là-dessus, n'est-ce pas, Víctor ? poursuivit Marina.

Florián nous observa en silence.

— Non.

Même en retraite, il restait un policier : il mentait mal. Marina n'insista pas. L'inspecteur était visiblement fatigué, consumé par les ombres qui peuplaient ses souvenirs. Toute son agressivité avait disparu. Le mégot tremblait dans ses mains, et il était difficile de savoir lequel des deux fumait l'autre.

— Quant à ce jardin d'hiver dont vous m'avez parlé... N'y retournez pas. Oubliez tout ça. Oubliez l'album de photographies, la tombe sans nom et la dame qui la visite. Oubliez Sentís, Shelley, oubliez-moi, je ne suis qu'un pauvre vieux qui ne sait même plus ce qu'il dit. Cette histoire a déjà détruit assez de vies. Laissez courir.

Il fit signe au garçon de mettre l'addition sur son compte et conclut :

— Promettez-moi de suivre mon conseil.

Je me demandai comment nous pouvions laisser courir cette histoire quand c'était justement elle qui nous courait après. Depuis ce qui s'était passé la nuit précédente, le conseil relevait du conte de fées.

— Nous essaierons, accepta Marina pour nous deux.

— L'enfer est pavé de bonnes intentions, répliqua Florián.

L'inspecteur nous accompagna jusqu'à la gare et nous donna le numéro de téléphone du café.

— Ils me connaissent. Si vous avez besoin de quoi que ce soit, appelez et ils me transmettront le message. À n'importe quelle heure du jour ou de la nuit. Manu, le patron, souffre d'insomnie chronique et il passe ses nuits à écouter la BBC, histoire de voir s'il arrive à apprendre des langues étrangères. Et donc vous ne le dérangerez pas.

— Je ne sais pas comment vous remercier…

— Remerciez-moi en faisant ce que je vous ai dit et en vous tenant à l'écart de ce sac d'embrouilles…, coupa Florián.

Nous acquiesçâmes. Les portes du funiculaire s'ouvrirent.

— Et vous, Víctor ? s'enquit Marina. Qu'est-ce que vous allez faire ?

— Comme tous les vieux : m'asseoir, regarder défiler les souvenirs et me demander ce qui se serait passé si j'avais tout pris dans l'autre sens. Allez, montez maintenant…

Nous entrâmes dans le wagon et prîmes place près de la fenêtre. C'était la fin de l'après-midi. Il y eut un coup de sifflet et les portes se fermèrent. Une secousse, et le funiculaire commença sa descente. Lentement, les lumières de Vallvidrera restèrent derrière nous, de même que la silhouette de Florián, immobile sur le quai.

Germán avait préparé un délicieux plat italien dont le nom évoquait un air d'opéra. Nous dînâmes dans la cuisine en l'écoutant nous raconter sa partie d'échecs avec le curé qui, comme toujours, l'avait battu. Marina garda un silence inhabituel pendant tout le repas, laissant à Germán et à moi le soin d'entretenir la conversation. Je me demandai même si j'avais dit ou fait quelque chose qui aurait pu la fâcher. Après le dîner, Germán me proposa une partie d'échecs.

— J'aimerais bien, mais je crois que c'est à moi de faire la vaisselle.

— Je la ferai, dit Marina derrière moi, d'une voix faible.

— Non, sérieusement..., objectai-je.

Germán était déjà dans le salon voisin où il chantonnait en alignant les pièces sur l'échiquier. Je me tournai vers Marina qui, fuyant mon regard, se mit à laver les assiettes.

— Laisse-moi au moins t'aider.

— Non... Va le rejoindre. Fais-lui plaisir.

— Vous venez, Óscar ? appela Germán du salon.

Je contemplai Marina à la lumière des bougies qui brûlaient sur l'étagère. Je la trouvai pâle, l'air fatigué.

— Tu es sûre que tu vas bien ?

Elle se retourna et me sourit. Marina avait une façon de sourire qui me faisait sentir tout petit et insignifiant.

— Allez, vas-y. Et laisse-le gagner.

— Ça ne sera pas difficile.

J'obéis et la laissai seule. Je retrouvai son père dans le salon. Là, sous le lustre de cristal, je m'assis devant l'échiquier en sachant qu'il ne se passerait pas longtemps avant que le souhait de sa fille ne se réalise.

— À vous de jouer, Óscar.

Je déplaçai un pion. Il toussota.

— Je vous rappelle que les pions ne se déplacent pas de cette manière, Óscar.

— Excusez-moi.

— Inutile de vous excuser. C'est l'ardeur de la jeunesse. Vous n'imaginez pas à quel point je vous envie. La jeunesse est une maîtresse capricieuse. Nous sommes incapables de la comprendre et de l'apprécier jusqu'au jour où elle part avec un autre pour ne jamais revenir...

Hélas !... Bon, je ne sais plus pourquoi j'ai dit ça... Ah, oui... votre pion...

Vers minuit, un bruit me tira de mon sommeil. La maison était dans la pénombre. Je m'assis sur le lit et tendis l'oreille. Une toux, étouffée, lointaine. Inquiet, je me levai et sortis dans le couloir. Le bruit venait d'en bas. Je passai devant la chambre de Marina. La porte était ouverte et le lit vide. J'eus brusquement peur.

— Marina ?

Pas de réponse. Je descendis les marches froides sur la pointe des pieds. Les yeux de Kafka brillaient en bas de l'escalier. Le chat miaula faiblement et me guida le long d'un corridor obscur. Au fond, un filet de lumière filtrait d'une porte fermée. La toux venait de l'intérieur. Douloureuse. Une toux d'agonie. Kafka s'approcha de la porte et resta devant, en miaulant doucement. Je frappai légèrement.

— Marina ?

Un long silence.

— Va-t'en, Óscar.

Sa voix était un gémissement. Je laissai passer quelques secondes et ouvris. Un bougeoir posé à même le sol éclairait mal la salle de bains carrelée de blanc. Marina était agenouillée, le front appuyé sur le bord du lavabo. Elle tremblait et la transpiration avait collé sa chemise à sa peau comme un suaire. Elle se cacha le visage, mais je pus voir qu'elle saignait du nez et que des taches rouges lui couvraient la poitrine. Je restai paralysé, incapable de réagir.

— Qu'est-ce que tu as ? murmurai-je.

— Ferme la porte, dit-elle abruptement. Ferme vite.

Je fis ce qu'elle demandait et vins près d'elle. Elle brûlait de fièvre. Les cheveux plaqués sur la figure, trempée de sueur, glacée. Affolé, je fis mine de courir chercher Germán, mais sa main me retint avec une force dont je l'aurais crue incapable.

— Non !

— Mais…

— Je vais bien.

— Comment tu peux dire ça ?

— Óscar, si tu m'aimes vraiment, n'appelle pas Germán. Il ne peut rien faire. C'est passé. Je me sens déjà mieux.

Le calme de sa voix me terrifia. Ses yeux cherchèrent les miens. Quelque chose, dans son regard, m'obligeait à lui obéir. Alors elle me caressa la figure.

— N'aie pas peur. Je vais mieux.

— Tu es pâle comme la mort…, balbutiai-je.

Elle prit ma main et la porta sur sa poitrine. Je sentis à travers les côtes le battement de son cœur. Je retirai la main sans savoir que faire.

— Tu vois ? Je suis vivante, et bien vivante. Tu vas me promettre de ne rien dire à Germán.

— Pourquoi ? protestai-je. Qu'est-ce que tu as ?

Elle baissa les yeux, avec un air de fatigue infinie. Je me tus.

— Promets-moi.

— Il faut que tu voies un médecin.

— Promets-moi, Óscar.

— Oui, si tu me promets de voir un médecin.

— Marché conclu. Je te le promets.

Elle mouilla une serviette avec laquelle elle nettoya le sang sur sa figure. Je me sentais inutile.

— Maintenant que tu m'as vue comme ça, je ne te plairai plus.

— Je ne trouve pas ça drôle.

Elle continua de se nettoyer en silence, sans me quitter des yeux. Son corps, sous le coton mouillé et presque transparent qui le plaquait, m'apparut fragile et vulnérable. Je fus surpris de n'éprouver aucune gêne à la contempler ainsi. Chez elle non plus, ma présence ne paraissait pas susciter de réaction de pudeur. Ses mains tremblaient pendant qu'elle essuyait la sueur et le sang sur son corps. Je trouvai un peignoir sec pendu à la porte et le lui tendis ouvert. Elle l'enfila et soupira, épuisée.

— Qu'est-ce que je peux faire ? murmurai-je.

— Reste ici, près de moi.

Elle s'assit devant un miroir. Avec une brosse, elle tenta en vain de mettre un peu d'ordre dans sa chevelure emmêlée qui lui tombait sur les épaules. La force lui manquait.

— Laisse-moi faire, dis-je en lui prenant la brosse.

Je la coiffai en silence, nos regards entrecroisés dans le miroir. En même temps, Marina saisit ma main et la serra très fort contre sa joue. Je sentis ses larmes sur ma peau, et je n'eus pas le courage de lui demander pourquoi elle pleurait.

J'accompagnai Marina jusqu'à sa chambre et l'aidai à se coucher. Elle ne tremblait plus et ses joues avaient repris un peu de couleur.

— Merci..., murmura-t-elle.

Je décidai que le mieux était de la laisser se reposer et regagnai ma chambre. Je m'allongeai de nouveau sur le lit et tentai sans succès de retrouver le sommeil. Inquiet, j'écoutais dans le noir les craquements de la grande maison et le froissement du vent dans les arbres. Une angoisse aveugle me rongeait. Trop d'événements s'étaient succédé, et trop vite. Mon cerveau ne pouvait tous les assimiler en même temps. Dans l'obscurité du petit matin, tout semblait se confondre. Mais rien ne me faisait plus peur que de ne pas être capable de comprendre ou de m'expliquer mes sentiments pour Marina. L'aube pointait quand je finis par m'endormir.

Je rêvai que je parcourais les salles d'un palais de marbre blanc, désert et plongé dans les ténèbres. Des centaines de statues le peuplaient. Elles ouvraient leurs yeux de pierre sur mon passage et chuchotaient des paroles que je n'entendais pas. Puis, au loin, je crus voir Marina et courus à sa rencontre. Une silhouette de lumière blanche en forme d'ange la menait par la main le long d'un couloir dont les murs saignaient. J'essayais de les rejoindre quand une porte s'ouvrit et María Shelley apparut, flottant au-dessus du sol et traînant un linceul en loques. Elle pleurait, mais ses larmes n'arrivaient jamais jusqu'à terre. Elle tendit les bras vers moi et, dès qu'elle me toucha, son corps se dispersa en cendres. Je criais le nom de Marina en la suppliant de revenir, mais elle ne semblait pas m'entendre. Je courais, je courais, mais le couloir s'allongeait à mesure que j'avançais. Alors l'ange de lumière fit volte-face et me révéla ses véritables traits. Ses yeux étaient des cavités vides et ses cheveux des serpents blancs. Il riait cruellement, et, déployant ses ailes blanches sur Marina, l'ange infernal s'éloigna. Je sentis dans mon rêve une haleine fétide me frôler la nuque. C'était l'odeur reconnaissable entre toutes de la mort, qui murmurait mon nom. Je me retournai et vis un papillon noir se poser sur mon épaule.

17.

Je me réveillai, incapable de respirer. Je me sentais plus fatigué que quand je m'étais couché. Mes tempes battaient comme si j'avais bu deux pots de café noir. Je ne savais pas l'heure, mais à en juger par le soleil, il ne devait pas être loin de midi. Les aiguilles du réveil confirmèrent mon diagnostic. Je me dépêchai de descendre, mais la maison était vide. Mon petit déjeuner, refroidi depuis longtemps, m'attendait sur la table de la cuisine, ainsi qu'un mot :

Óscar,

nous avons dû aller chez le médecin. Nous serons absents toute la journée. N'oublie pas de donner à manger à Kafka. À ce soir, pour le dîner.

Marina

Je relus le mot, étudiant l'écriture, en même temps que je prenais un copieux petit déjeuner. Kafka daigna apparaître quelques minutes plus tard et je lui servis un bol de lait. Je ne savais que faire de ma journée. Je décidai de me rendre à l'internat pour chercher

ses commentaires. La brave femme devenait bavarde comme une pie dès qu'elle avait de la compagnie, c'est-à-dire presque jamais.

— Qu'est-ce qu'il peut être joli garçon ! s'exclamait-elle chaque fois qu'apparaissait Joselito avec sa figure de petit jésus.

— Oui, madame Paula. Maintenant, je vais devoir vous quitter.

Je l'embrassai sur la joue et m'en fus. Je montai une minute dans ma chambre et rassemblai à toute vitesse quelques chemises, deux pantalons et du linge de corps propre. Je fourrai le tout dans un sac sans m'attarder une seconde de plus que le nécessaire. En sortant, je passai par le secrétariat et répétai, imperturbable, mon histoire de Noël en famille. Je quittai les lieux en me disant que la vie serait bien facile s'il ne s'agissait que de mentir.

Nous dînâmes en silence dans le salon des portraits. Germán était soucieux, perdu dans ses pensées. De temps en temps, nos regards se rencontraient et il m'adressait un sourire de pure politesse. Marina tournait sa cuillère dans une assiette de soupe sans jamais la porter à ses lèvres. Toute la conversation se réduisait au bruit des couverts contre les assiettes et aux crépitements des bougies. Il n'était pas difficile d'imaginer que les nouvelles de la santé de Germán étaient mauvaises. Je décidai de ne pas poser de questions sur ce qui semblait évident. Après le dîner, Germán s'excusa et se retira dans sa chambre. Je le trouvai plus vieux et plus fatigué que jamais. Depuis que je le connaissais, c'était la première fois que je l'avais vu ignorer les portraits de son épouse Kirsten. Dès qu'il eut disparu, Marina repoussa son assiette intacte et soupira.

— Tu n'as pas avalé une cuillerée.

— Je n'ai pas faim.

— Mauvaises nouvelles ?

— Passons à autre chose, veux-tu ? trancha-t-elle d'un ton sec, presque hostile.

Sa manière de parler me fit me sentir un intrus chez des étrangers. Comme si elle avait voulu me rappeler que leur famille n'était pas la mienne, pas plus que leur maison et leurs problèmes, quoi que je fasse pour entretenir cette illusion.

— Pardon, murmura-t-elle au bout d'un moment en tendant la main vers moi.

Je mentis :

— Ça n'a pas d'importance.

Je me levai pour emporter les assiettes dans la cuisine. Elle demeura assise sans dire mot, caressant Kafka qui miaulait sur ses genoux. Je pris plus de temps que nécessaire. Je lavai les assiettes jusqu'à ce que je ne sente plus mes mains sous l'eau froide. Quand je revins dans le salon, Marina était déjà partie. Elle avait laissé deux bougies allumées pour moi. Le reste de la maison était obscur et silencieux. Je soufflai les bougies et sortis dans le jardin. Des nuages noirs s'étiraient lentement dans le ciel. Un vent glacé agitait les arbres. Je me retournai et vis qu'il y avait de la lumière dans la chambre de Marina. Je l'imaginai dans son lit. Un instant plus tard, la lumière s'éteignit. La grande demeure redevint alors la ruine que j'avais vue se dresser devant moi le premier jour. J'envisageai l'éventualité d'aller aussi me coucher et de me reposer, mais je sentais monter en moi un début d'anxiété qui suggérait une longue nuit sans sommeil. Je préférai sortir et marcher pour mettre de l'ordre dans mes idées ou, au moins, fatiguer mon corps. J'avais à peine fait quelques pas que la bruine commença de tomber. Par ce temps maussade, il n'y avait personne dans les rues. J'enfonçai les mains dans mes poches et marchai. Je vagabondai pendant presque deux heures. Ni le froid ni la pluie ne parvinrent à me dispenser la fatigue dont j'avais tant besoin. Quelque chose tournait dans ma tête, et plus j'essayais de l'ignorer, plus sa présence se faisait intense.

Mes pas me conduisirent au cimetière de Sarriá. La pluie crachait sur les visages de pierre noircie et les croix penchées. Derrière la grille, je pouvais distinguer une allée bordée de formes spectrales. De la terre mouillée montait une odeur de fleurs en décomposition. J'appliquai mon front aux barreaux. Le métal était froid. Une traînée de rouille glissa sur ma peau. Je scrutai les ténèbres comme si j'espérais y trouver l'explication de tout ce qui m'arrivait. Je ne perçus que mort et silence. Qu'est-ce que je faisais là ? S'il me restait encore une once de bon sens, il était évident que je devais rentrer et dormir cent heures d'affilée. C'était probablement ma meilleure idée depuis trois mois.

Je fis demi-tour et m'apprêtai à revenir par l'étroite allée de cyprès. Une lanterne lointaine brillait sous la pluie. Subitement, son halo de lumière s'éclipsa. Une forme obscure envahit tout. J'entendis des sabots de chevaux sur les pavés et découvris un attelage noir qui s'approchait en soulevant l'eau des flaques. Le souffle des chevaux couleur de jais exhalait une vapeur fantasmagorique. La silhouette anachronique du cocher se découpait sur le siège. Je cherchai sur le bord de l'allée un coin où me cacher mais ne trouvai que des murs nus. Je sentis le sol vibrer sous mes pieds. Je n'avais plus qu'une solution : revenir sur mes pas. Trempé et presque incapable de respirer, j'escaladai la grille et sautai à l'intérieur de l'enceinte consacrée.

e qui se liquéfiait sous
angeuse charriaient des
t entre les pierres tom-
s'étaient enfoncés dans
me réfugier derrière le
qui levait les bras vers le
ès de la grille. Le cocher
nterne, et une cape le
eau à large bord et une
a pluie et du froid en
s la voiture. C'était celle
ame en noir à la gare de
des portières le symbole
e velours masquaient les
e était à l'intérieur.
cruta l'autre côté. Je me
s j'entendis le tintement
ic métallique d'un cade-
es de fer grincèrent. Un
ocher approchait de ma
e. Je me retournai pour

regarder le cimetière derrière moi. Le voile de nuages noirs se déchira. La lune dessina un sentier de lumière fantomatique. Les files de tombes brillèrent un instant dans les ténèbres. Je me traînai entre les dalles en reculant vers le centre du cimetière. J'atteignis le pied d'un caveau. Il était clos par des portes en fer forgé et en verre. Le cocher continuait d'avancer. Je retins ma respiration et m'enfonçai dans l'ombre. Il passa à moins de deux mètres, tenant sa lanterne en l'air. Il s'éloigna et je poussai un soupir de soulagement. Je le vis se diriger vers le cœur du cimetière et sus tout de suite où il allait.

C'était de la folie, mais je le suivis. Je marchai en me dissimulant entre les tombes jusqu'à l'aile nord de l'enceinte. Une fois là, je me hissai sur une plate-forme d'où l'on dominait les alentours. Quelques mètres plus bas brillait la lanterne du cocher, posée sur la tombe sans nom. La pluie glissait sur le papillon gravé dans la pierre, comme s'il saignait. Je vis la silhouette du cocher se pencher sur la tombe. Il sortit de sous sa cape un objet allongé, une barre de métal, et commença à se démener. J'avalai ma salive en comprenant qu'il tentait d'ouvrir la tombe. J'aurais voulu prendre mes jambes à mon cou, mais je ne pouvais pas bouger. Se servant de la barre comme d'un levier, il parvint à déplacer la dalle de quelques centimètres. Lentement, apparut le puits de noirceur, jusqu'au moment où la dalle fut déportée sur un côté et se brisa en deux sous l'effet de son propre poids. Je perçus la vibration du choc sous mon corps. Le cocher prit la lanterne et la leva au-dessus d'une fosse de deux mètres de profondeur. Un ascenseur pour l'enfer. La surface d'un cercueil noir luisait au fond. Le cocher leva les yeux vers le ciel et, brusquement, sauta à l'intérieur. Il disparut comme si la terre l'avait englouti. J'entendis des coups et le bruit du vieux bois qui éclatait. Je sautai et, en rampant dans la boue, millimètre par millimètre, je me rapprochai du bord de la fosse. Je me penchai.

La pluie tombait à l'intérieur de la tombe et le fond était déjà inondé. Le cocher était en train de détacher le couvercle du cercueil dont un bord céda avec une détonation. Le bois pourri et le tissu usé apparurent. Le cercueil était vide. L'homme le contempla, immobile. Je l'entendis murmurer quelque chose. Je sus que l'heure était venue de prendre la fuite. Mais en le faisant, je fis rouler une pierre qui tomba à l'intérieur et frappa le cercueil. Une demi-seconde suffit au cocher pour lever la tête et me voir. Il tenait un revolver dans la main droite.

Je me lançai dans une course folle vers la sortie, en zigzaguant entre les tombes et les statues. J'entendais derrière moi le cocher qui criait en remontant de la fosse. J'aperçus la grille et l'attelage. Je me précipitai, hors d'haleine. Les pas du cocher se rapprochaient. Je compris qu'il allait me rattraper d'une seconde à l'autre en terrain découvert. Je me rappelai l'arme dans sa main et regardai désespérément autour de moi en cherchant où me cacher. Mon regard s'arrêta sur l'unique solution qui me restait. Je priai pour que le cocher n'aie pas l'idée d'aller me chercher là : dans le coffre à bagages qui se trouvait à l'arrière de la voiture. Je sautai sur la plate-forme et me jetai dedans la tête la première. À peine quelques secondes plus tard, j'entendis les pas précipités du cocher dans l'allée de cyprès.

J'imaginai ce qu'il devait voir. Le chemin désert sous la pluie. Les pas s'arrêtèrent. Ils tournèrent autour de l'attelage. Je craignis d'avoir laissé des traces qui dénonceraient ma présence. Je perçus le poids du corps du cocher qui grimpait sur son siège. Je restai immobile. Les chevaux hennirent. L'attente me parut interminable. Puis j'entendis le claquement d'un fouet, et une secousse m'expédia au fond du coffre. Nous roulions.

Très vite, les cahots se traduisirent par une vibration sèche et brutale qui se répercutait dans mes muscles pétrifiés par le froid. Je tâchai de regarder par l'ouverture du coffre, mais les mouvements de la voiture m'empêchaient toute stabilité.

Nous laissions Sarriá derrière nous. Je calculai les chances que j'avais de ne pas me briser le crâne si j'essayais de sauter en marche. J'écartai cette idée. J'avais largement dépensé toutes mes réserves d'héroïsme, et puis j'avais envie de savoir où nous allions, et donc je me laissai mener par les circonstances. Je m'installai comme je pus au fond du coffre pour essayer de reprendre des forces. Je supposais que j'en aurais bientôt besoin.

Ballotté comme je l'étais, le trajet me sembla interminable, et j'eus l'impression que nous parcourions des kilomètres sous la pluie. Mes membres étaient tuméfiés sous les vêtements mouillés. Nous avions quitté les artères fréquentées. Nous parcourions maintenant des rues désertes. Je réussis à me coller à l'ouverture pour jeter un coup d'œil. Je vis des rues obscures et étroites comme des brèches taillées dans le roc. Des lampadaires et des façades gothiques dans la brume. Je me laissai retomber, déconcerté. Nous étions dans la vieille ville, quelque part dans le Raval. La puanteur des égouts inondés montait comme celle d'un marécage. Nous déambulâmes au cœur des ténèbres de Barcelone pendant environ une demi-heure avant de nous arrêter. J'entendis le cocher descendre de son siège. Quelques secondes plus tard, le bruit d'un portail. L'attelage repartit lentement et nous pénétrâmes dans ce que, à l'odeur, je supposai être d'anciennes écuries. Le portail se referma.

Je restai immobile. Le cocher dételа les chevaux et leur murmura quelques mots que je ne parvins pas à saisir. Un filet de lumière passait par l'ouverture du coffre. J'entendis de l'eau couler et des pas fouler la paille. Puis la lumière s'éteignit. Les pas du cocher s'éloignèrent. J'attendis quelques minutes, jusqu'à ce que je ne perçoive plus que la respiration des chevaux. Je me glissai hors du coffre. Une pénombre bleutée flottait dans les écuries. Je me dirigeai silencieusement vers une porte latérale. Je débouchai dans un garage obscur très haut de plafond et traversé de grosses poutres. Le contour de ce qui semblait être une issue de secours se dessinait dans le fond. Je vérifiai que la serrure ne pouvait s'ouvrir que de l'intérieur. Je la manœuvrai avec précaution et me retrouvai finalement dans la rue.

J'étais dans une ruelle obscure du Raval. Elle était si étroite que l'on pouvait en toucher les deux côtés rien qu'en écartant les bras. Un ruisseau fétide coulait au centre. Le coin n'était qu'à dix mètres. J'y allai : une rue plus large était éclairée par la lueur vaporeuse de réverbères qui devaient avoir plus de cent ans. Je vis le portail des écuries sur un côté de l'immeuble, un bâtiment gris et misérable. Sur le linteau, la date de la construction était lisible : 1888. De là où j'étais, je compris que ce n'était que l'annexe d'un ensemble plus grand qui occupait tout le pâté de maisons. Ce deuxième édifice avait des dimensions dignes d'un palais. Un écran d'échafaudages et de bâches sales le masquait complètement. On aurait pu cacher une cathédrale à l'intérieur. J'essayai de deviner ce que c'était, mais en vain. Je ne me souvenais d'aucune construction de ce genre dans cette partie du Raval.

Je m'approchai pour jeter un coup d'œil entre les planches qui entouraient les échafaudages. À travers d'épaisses ténèbres, on apercevait une grande marquise de style moderniste. Je parvins à voir des colonnes et une rangée d'étroites ouvertures barrées de grilles en fer forgé tarabiscotées. Des guichets. Les arcades de l'entrée que l'on devinait au-delà me rappelaient les portiques d'un château de légende. Le tout était humide, abandonné et recouvert d'une couche de décombres. Je compris soudain où j'étais. C'était le Grand Théâtre royal, le somptueux monument que Mihaïl Kolvenik avait fait reconstruire pour sa femme Eva et dont la scène n'avait jamais été inaugurée. Le théâtre n'était plus aujourd'hui qu'une colossale catacombe en ruine. Un enfant bâtard de l'Opéra de Paris et de la Sagrada Familia dans l'attente de sa démolition.

Je revins à l'immeuble contigu qui hébergeait l'écurie. Le porche était un gouffre noir. Dans la grosse porte en bois était pratiquée une ouverture plus petite qui rappelait l'entrée d'un couvent. Ou d'une prison. Elle était ouverte et je m'introduisis dans le vestibule. Une courette lugubre était surmontée, très haut, d'une verrière brisée. Inextricable toile d'araignée, des cordes à linge portaient des haillons qui s'agitaient dans le vent. Le lieu sentait la misère, les égouts et la maladie. L'eau sale de canalisations crevées suintait des murs. Le sol était couvert de flaques. Je distinguai un amas de boîtes aux lettres rouillées et m'approchai pour les examiner. Toutes sauf une étaient vides, déglinguées et sans nom. Sur la seule qui paraissait encore en service, je lus sous la crasse :

Luis Claret i Milá, 3e

Ce nom m'était vaguement familier, mais sans savoir pourquoi. Je me demandai si c'était celui du cocher. Je me le répétai plusieurs fois en essayant de me rappeler où je l'avais entendu. Soudain, la mémoire me revint. L'inspecteur Florián nous avait dit que, dans les derniers temps de Kolvenik, seules deux personnes avaient eu accès à lui et à son épouse Eva dans la forteresse du parc Güell : Shelley, son médecin personnel, et un chauffeur qui refusait d'abandonner son patron, Luis Claret. Je fouillai dans mes poches à la recherche du numéro de téléphone que nous avait donné Florián au cas où nous aurions besoin de prendre contact avec lui. J'étais sur le point de le trouver quand j'entendis des voix et des pas en haut de l'escalier. Je pris la fuite.

De retour dans la rue, je courus me cacher au coin de la ruelle. Quelques instants plus tard, une silhouette se dessina dans l'ouverture de la porte et s'en alla sous la pluie. De nouveau le cocher. Claret. J'attendis que sa forme s'évanouisse et suivis l'écho de ses pas.

19.

Sur les traces de Claret, je me fis ombre parmi les ombres. La pauvreté et la misère de ce quartier étaient perceptibles dans l'air. Claret filait à grandes enjambées dans des rues où je n'avais jamais mis les pieds. Je restai incapable de m'orienter jusqu'au moment où, traversant un carrefour, je reconnus la rue Conde del Asalto. En arrivant sur les Ramblas, Claret prit à gauche en direction de la place de Catalogne.

Quelques rares noctambules passaient dans l'avenue. Les kiosques éclairés ressemblaient à des navires échoués. À la hauteur du Liceo, Claret changea de trottoir. Il s'arrêta devant le porche de l'immeuble où vivaient le docteur Shelley et sa fille María. Je le vis sortir de sous sa cape, avant d'entrer, un objet brillant. Le revolver.

Sur la façade de l'immeuble, corniches et gargouilles crachaient des flots d'eau sale. Une lame de lumière dorée sortait d'une fenêtre du dernier étage. Le bureau de Shelley. J'imaginai le vieux docteur dans son fauteuil d'invalide, incapable de trouver le sommeil. Je courus vers le porche. Impossible d'ouvrir la porte de l'extérieur. Claret avait bloqué la serrure. Je scrutai la façade à la recherche d'une autre entrée. Je fis le tour de l'immeuble. Derrière, un petit escalier de secours montait jusqu'à une corniche qui entourait tout le bloc de maisons. Celle-ci formait comme une passerelle de pierre vers les balcons de la façade principale. De là au pignon où se trouvait le bureau de Shelley, il n'y avait que quelques mètres. Je grimpai l'escalier de secours jusqu'à la corniche. Une fois là, j'étudiai de nouveau mon itinéraire. Je constatai que la corniche était très étroite. Sous mes pieds, c'était l'abîme. Je respirai profondément et fis le premier pas.

Je me collai au mur et avançai centimètre par centimètre. La surface était glissante. Certains blocs de pierre branlaient sous mes pieds. J'eus la sensation que la corniche rétrécissait à chaque nouveau pas. Le mur dans mon dos semblait pencher vers le vide. Il était jalonné de sculptures de faunes. J'enfonçai les doigts dans la grimace démoniaque d'une de ces figures, avec la peur que ses crocs se referment sur eux en les coupant net. De prise en prise, je parvins à atteindre la balustrade en fer forgé qui entourait le bureau du docteur Shelley.

Je pus prendre pied sur la plate-forme métallique devant les fenêtres. Elles étaient embuées. Je collai mon visage à une vitre et réussis à distinguer l'intérieur. La fenêtre n'était pas fermée du dedans. Je l'écartai délicatement de façon à l'entrouvrir. Une bouffée d'air chaud, charriant l'odeur du feu de bois qui brûlait dans le foyer, me caressa la figure. Le docteur était dans son fauteuil face au feu, comme s'il n'avait pas bougé depuis notre visite. Derrière lui, les portes du bureau s'ouvrirent. Claret. J'étais arrivé trop tard.

— Tu as trahi ton serment, entendis-je prononcer Claret.

C'était la première fois que j'entendais distinctement sa voix. Grave, rauque. Pareille à celle d'un jardinier de l'internat, Daniel, dont une balle avait perforé le pharynx pendant la guerre. Les médecins lui avaient réparé la gorge, mais le pauvre homme avait mis des années avant de pouvoir reparler. Et le son qui sortait de sa bouche était comme la voix de Claret.

— Tu avais dit que tu avais détruit le dernier flacon, dit Claret en s'approchant de Shelley.

L'autre ne prit pas la peine de se retourner. Je vis Claret lever son revolver et le pointer sur le médecin.

— Tu fais erreur, avec moi, dit Shelley.

Claret contourna le vieillard et se planta devant lui. Shelley leva les yeux. S'il avait peur, il ne le montrait pas. Claret visa la tête.

— Tu mens. Je devrais te tuer ici même…, dit-il en traînant sur chaque syllabe comme si les mots lui faisaient mal.

Il appuya le canon de son arme entre les yeux de Shelley.

— Vas-y. Tu me rendras service, dit calmement Shelley.

J'avalai ma salive. Claret bloqua le percuteur.

— Où est-il ?

— Pas ici.

— Où, alors ?

— Tu sais où.

J'entendis Claret soupirer. Il retira le pistolet et laissa retomber son bras, découragé.

— Nous sommes tous condamnés, dit Shelley. C'est

seulement une question de temps… Tu n'as jamais compris ça, et tu le comprends encore moins aujourd'hui.

— C'est toi que je ne comprends pas, rétorqua Claret. Moi, j'irai à la mort, la conscience en paix.

— La mort se moque bien des consciences, Claret.

— Mais pas moi.

Soudain, María Shelley apparut à la porte.

— Père… tout va bien ?

— Oui, María, retourne te coucher. C'est juste notre ami Claret, et il était en train de partir.

María hésita. Claret l'observait fixement et, un instant, j'eus l'impression qu'il y avait quelque chose d'indéfinissable dans les regards qu'ils échangèrent.

— Fais ce que je te dis. Va.

— Oui, père.

María disparut. Shelley tourna de nouveau les yeux vers le feu.

— Tu protèges ta conscience. Moi, c'est ma fille que je dois protéger. Rentre chez toi. Tu ne peux rien faire. Tu as vu comment Sentís a fini.

— Sentís a eu la fin qu'il méritait, prononça Claret.

— Tu ne penses pas aller à sa rencontre ?

— Je n'abandonne jamais mes amis.

— Mais eux, ils t'ont abandonné, dit Shelley.

Claret se dirigea vers la porte, mais il s'arrêta en entendant Shelley l'appeler.

— Attends…

Le docteur s'approcha d'une armoire qui était à côté de son bureau. Il décrocha une petite clef d'une chaînette qu'il portait au cou. Il s'en servit pour ouvrir l'armoire. Il prit quelque chose dedans et le tendit à Claret.

— Prends-les, ordonna-t-il. Je n'ai pas le courage de m'en servir. Ni la foi.

Je regardai intensément pour tenter de distinguer ce qu'il offrait ainsi à Claret. C'était un étui ; il me sembla qu'il contenait des sortes de capsules argentées. Des balles.

Claret les accepta et les examina avec soin. Ses yeux rencontrèrent ceux de Shelley.

— Merci, murmura-t-il.

Shelley haussa les épaules en silence, comme s'il refusait tout remerciement. Je vis Claret vider le barillet de son arme et le remplir avec les balles de Shelley. Pendant ce temps, Shelley l'observait en se frottant les mains avec nervosité.

— Tu ne vas pas..., implora Shelley.

L'autre fit tourner le barillet.

— Je n'ai pas le choix, répliqua-t-il, déjà sur le pas de la porte.

Dès que je l'eus vu disparaître, je me glissai de nouveau jusqu'à la corniche. Je repassai par l'escalier de secours et, une fois dans la rue, fis le tour de l'immeuble à toute allure, juste à temps pour voir Claret descendre les Ramblas. Je pressai le pas et raccourcis la distance. Il ne tourna pas avant la rue Fernando, et là il prit la direction de la place San Jaime. J'aperçus un téléphone public sous les arcades de la place Royale. Je savais que je devais appeler l'inspecteur Florián le plus vite possible et lui expliquer ce qui se passait, mais m'arrêter aurait signifié perdre Claret.

J'étais toujours derrière lui quand il entra dans le Quatier gothique. Soudain, sa silhouette se perdit sous les arches tendues entre les édifices. Des arcades impossibles projetaient des ombres dansantes sur les murs. Nous étions arrivés dans la Barcelone magique, le labyrinthe des esprits, où les rues avaient des noms de légende et où les farfadets du temps marchaient dans notre dos.

20.

Je continuai de filer Claret jusqu'à une rue cachée derrière la cathédrale. Une boutique de masques occupait le coin. En passant devant la vitrine, je sentis sur moi le regard vide des visages de carton. Je me penchai pour jeter un coup d'œil. Claret s'était arrêté à une vingtaine de mètres, près d'une bouche d'accès aux égouts. Il essayait de soulever la lourde plaque de fonte. Il finit par y parvenir et pénétra dans l'étroite ouverture. Seulement alors, je m'approchai. J'entendis ses pas sur les échelons de métal et vis le reflet d'un faisceau lumineux. J'allai jusqu'au bord et tentai de voir le fond. Un courant d'air vicié montait de ce puits. Je restai là jusqu'à ce que les pas de Claret deviennent inaudibles et que les ténèbres dévorent la lumière qu'il portait.

C'était le moment de téléphoner à l'inspecteur Florián. Je distinguai les lumières d'une taverne qui fermait très tard et ouvrait très tôt. Le lieu était une sorte de cachot qui puait le vin et occupait la moitié de la cave d'un immeuble qui ne devait pas avoir moins de trois cents ans. Le patron avait des yeux minuscules noyés dans une face hargneuse et bouffie, le crâne surmonté de ce qui me sembla être un calot militaire. Il haussa les sourcils et me regarda d'un air écœuré. Derrière lui, le mur était décoré de fanions de la division Azul, de cartes postales du Valle de los Caídos et d'un portrait de Mussolini.

— Du balai ! cracha-t-il. On n'ouvre pas avant cinq heures.

— Je veux juste téléphoner. C'est une urgence.

— Reviens à cinq heures.

— Si je pouvais revenir à cinq heures, ça ne serait pas une urgence… S'il vous plaît. C'est pour appeler la police.

Le patron me soumit à une inspection en règle et finit par me désigner un téléphone au mur.

— Attends, que je te donne la ligne. Tu as de quoi payer, au moins ?

— Bien sûr, mentis-je.

Le combiné était sale et graisseux. À côté était posée une soucoupe en verre contenant des boîtes d'allumettes portant le nom de la maison et un aigle impérial. L'établissement s'appelait le « Bar Honneur et Patrie ». Je profitai de ce que le patron me tournait le dos en branchant la ligne pour m'en remplir les poches. Quand il me fit de nouveau face, je lui adressai mon sourire le plus innocent. Je composai le numéro que Florián m'avait donné et écoutai la sonnerie, à laquelle nul ne venait répondre. Je commençais à craindre que le camarade insomniaque ait fini par s'endormir, assommé par les bulletins de la BBC, quand quelqu'un se manifesta à l'autre bout du fil.

— Bonsoir, excusez-moi de vous déranger à cette

heure, dis-je. J'ai besoin de parler d'urgence à l'inspecteur Florián. C'est très important. Il m'a donné votre numéro au cas où...

— Qui êtes-vous ?

— Óscar. Óscar Drai.

— Óscar comment ?

Je dus épeler patiemment mon nom.

— Un moment. Je ne sais pas si Florián est chez lui. Je ne vois pas de lumière. Vous pouvez attendre ?

Je regardai le patron du bar qui essuyait des verres à une cadence martiale sous le regard viril du Duce.

— Oui, risquai-je.

L'attente se fit interminable. Le patron ne cessait de me guetter comme si j'étais un criminel en cavale. J'essayai de lui sourire. Il ne broncha pas.

— Vous pourriez me servir un café au lait ? demandai-je. Je suis gelé.

— Pas avant cinq heures.

— Et pouvez-vous me dire l'heure qu'il est, s'il vous plaît ?

— Il n'est pas encore cinq heures, fut la réponse. Tu es sûr que c'est la police que tu as appelée ?

— La garde civile, pour être exact, improvisai-je.

Finalement, j'entendis la voix de Florián. Elle semblait parfaitement éveillée.

— Óscar ? Où es-tu ?

Je lui résumai l'essentiel aussi rapidement que je pus. Quand j'en vins au tunnel des égouts, je notai qu'il devenait tendu.

— Écoute-moi bien, Óscar. Je veux que tu m'attendes et que tu ne bouges pas avant que je sois là. Je prends un taxi dans une seconde. S'il se passe quelque chose, pars en courant et ne t'arrête pas avant le commissariat de la rue Layetana. Là, tu demanderas Mendoza. Il me connaît et c'est quelqu'un de confiance. Mais quoi qu'il puisse arriver, tu m'entends ? quoi qu'il puisse arriver, ne descends pas dans ces tunnels. C'est clair ?

— Clair comme de l'eau de roche.

— Je suis là dans une minute.

La ligne fut coupée.

— Ça fait soixante pesetas, annonça immédiatement le patron derrière moi. Tarif de nuit.

— Je paye à cinq heures, mon général, lui lançai-je, impavide.

Les poches qui pendaient sous ses yeux tournèrent au rouge Rioja.

— Dis donc, morveux, tu veux que je te mette en bouillie ? menaça-t-il, furieux.

Je pris mes jambes à mon cou avant qu'il ne parvienne à sortir de derrière son comptoir avec sa matraque réglementaire anti-émeute. J'avais l'intention d'attendre Florián près de la boutique de masques. Je me dis qu'il ne pouvait pas beaucoup tarder.

Les cloches de la cathédrale sonnèrent quatre heures du matin. Les symptômes de la fatigue commençaient à rôder autour de moi comme des loups affamés. Je marchai en rond pour combattre le froid et le sommeil. Peu après, j'entendis des pas sur les pavés. Je me retournai pour accueillir Florián, mais la silhouette que je vis ne collait pas du tout avec celle du vieux policier. C'était une femme. Instinctivement, je me cachai, craignant que ce ne soit la dame en noir, venue à ma rencontre. L'ombre se découpa dans la rue et passa devant moi sans me voir. C'était María, la fille du docteur Shelley.

Elle alla jusqu'au bord de la bouche d'égout et se pencha pour scruter l'abîme. Elle tenait à la main un flacon en verre. Son visage brillait sous la lune, transfiguré. Elle souriait. Je sus tout de suite que quelque chose allait mal. Sa présence n'avait pas de sens. L'idée me traversa même qu'elle devait être arrivée là dans une sorte de crise de somnambulisme. C'était l'unique explication qui me venait à l'esprit. Je préférais me contenter de cette hypothèse absurde plutôt que d'envisager d'autres possibilités. Je songeai à la rejoindre, à l'appeler par son prénom, enfin à dire quelque chose. Je rassemblai tout mon courage et fis un pas en avant. À peine l'avais-je fait que María se retourna avec la rapidité et l'agilité d'un félin, comme si elle avait flairé ma présence dans l'air. Ses yeux brillèrent dans la ruelle et l'horrible expression qui se dessina sur son visage me glaça le sang.

— Va-t'en ! murmura-t-elle d'une voix méconnaissable.

— María ? articulai-je, décontenancé.

Une seconde après, elle avait sauté dans la bouche d'égout. Je courus jusqu'au bord, m'attendant à voir son corps disloqué. Un rayon de lune fugace passa au-dessus de l'ouverture. Il éclaira, au fond, le visage de María Shelley.

— María ! criai-je. Attendez !

Je descendis les échelons aussi vite que je pus. Une odeur fétide et pénétrante m'assaillit dès les premiers mètres. La sphère de clarté de la surface diminua progressivement. Je cherchai une boîte d'allumettes et en grattai une. Elle éclaira une vision fantasmagorique.

Un tunnel circulaire se perdait dans l'obscurité. Humidité et putréfaction. Couinements de rats. Et l'écho infini du labyrinthe de conduits sous la ville. Difficilement lisible sur le mur lépreux, une inscription annonçait :

SGAB / 1881
COLLECTEUR SECTEUR IV / NIVEAU 2 –
SEGMENT 66

De l'autre côté du tunnel, le mur s'était écroulé. Le sous-sol avait envahi une partie du collecteur. On pouvait reconnaître les différentes strates des anciens niveaux de la ville empilées les unes sur les autres.

Je pouvais ainsi contempler les cadavres des Barcelone du passé sur lesquels se dressait la ville du présent. Le décor où Sentís avait trouvé la mort. Je grattai une autre allumette. Je réprimai les nausées qui montaient dans ma gorge et fis quelques mètres en direction des empreintes de pas.

— María ?

L'écho de ma voix se répercuta à l'infini si lugubrement que je décidai de ne plus ouvrir la bouche. J'observai des dizaines de minuscules points rouges qui se déplaçaient comme des insectes sur un étang. Des rats. La flamme des allumettes que je n'arrêtais pas de brûler les maintenait à distance prudente.

J'hésitai à continuer d'avancer, quand j'entendis une voix lointaine. Je levai une dernière fois les yeux vers l'ouverture de la rue. Pas trace de Florián. La voix résonna de nouveau. Je soupirai et m'enfonçai dans les ténèbres.

Le tunnel dans lequel je progressais me fit penser à l'intestin d'une bête. Un ruisseau de matière fécale coulait sur le sol. J'avançais sans autre lumière que celle des allumettes. Je les faisais se succéder de manière à ne jamais être complètement plongé dans l'obscurité. À mesure que je m'enfonçais dans le labyrinthe, mon odorat devenait moins sensible à la puanteur. Je remarquai aussi que la température s'élevait. Une humidité gluante me collait à la peau, aux vêtements, aux cheveux.

Quelques mètres plus loin, je distinguai, luisante sur le mur, une croix tracée maladroitement à la peinture rouge. D'autres croix identiques étaient visibles. Il me sembla voir quelque chose briller par terre. Je me penchai pour l'examiner et découvris qu'il s'agissait d'une photographie. Je reconnus tout de suite l'image. Elle figurait dans l'album que nous avions trouvé dans le jardin d'hiver. Il y en avait d'autres sur le sol. Toutes avaient la même provenance. Certaines étaient lacérées. Vingt pas plus loin, je rencontrai l'album, pratiquement déchiqueté. Je le ramassai et feuilletai les pages vides. On eût dit que quelqu'un avait cherché sans succès une photographie qui n'y était pas et que, de rage, il l'avait réduit en miettes.

Je me trouvais à un carrefour, une sorte de chambre de distribution ou de convergence des conduits. Je levai les yeux et vis, juste au-dessus de l'endroit où je me tenais, une autre bouche d'égout. Je crus distinguer un grillage. Je dirigeai mon allumette vers elle, mais une bouffée d'air marécageux exhalé par un des collecteurs souffla la flamme. Au même moment, j'entendis quelque chose se déplacer lentement en frôlant les murs : quelque chose de gélatineux. Un frisson parcourut la base de ma nuque. Je cherchai une nouvelle allumette dans l'obscurité et tâchai à tâtons de la gratter, mais la flamme ne prenait pas. Cette fois, j'en étais sûr : quelque chose s'agitait dans les tunnels, quelque chose de vivant qui n'était pas des rats. Je me sentis étouffer. La pestilence du lieu agressa brutalement mes fosses nasales. Une allumette finit enfin par prendre feu. D'abord, la flamme m'aveugla. Puis je vis des ombres ramper vers moi. Venant de tous les tunnels. Des formes indéfinies se traînaient comme des araignées par les conduits. L'allumette échappa à mes doigts tremblants. Je voulus courir, mais mes muscles ne m'obéissaient pas.

Soudain, un rayon lumineux troua l'ombre, éclairant la vision fugace de ce qui me parut être un bras se tendant vers moi.

— Óscar !

L'inspecteur Florián courait dans ma direction. Il tenait une lampe dans une main, un revolver dans l'autre. Il arriva à ma hauteur et balaya les alentours du faisceau lumineux de sa lampe. Nous entendîmes tous les deux le bruit terrifiant de ces silhouettes qui battaient en retraite en fuyant la lumière. Florián braquait son pistolet.

— Qu'est-ce que c'était ?

Je voulus répondre, mais la voix me fit défaut.

— Et qu'est-ce que tu fous ici ?

— María..., articulai-je.

— Quoi ?

— Pendant que je vous attendais, j'ai vu María Shelley se jeter dans les égouts et…

— La fille de Shelley ? s'exclama Florián, abasourdi. Ici ?

— Oui.

— Et Claret ?

— Je ne sais pas. J'ai suivi des traces de pas jusqu'ici…

Florián inspecta les murs qui nous entouraient. Une porte en fer couverte de rouille se dessinait à l'extrémité de la galerie. Il fronça les sourcils et marcha lentement vers elle. Je me collai à lui.

— Ce sont bien les égouts où l'on a retrouvé Sentís ?

Il acquiesça silencieusement, en indiquant l'autre bout du tunnel.

— Ce réseau de collecteurs s'étend jusqu'à l'ancien marché du Borne. Sentís a été trouvé là, mais il y avait des indices qui montraient que le corps avait été traîné.

— Nous sommes sous l'ancienne fabrique de Velo-Granell, non ?

Florián acquiesça de nouveau.

— Vous croyez que quelqu'un utilise ces passages souterrains pour se déplacer sous la ville, de la fabrique à…

— Tiens, prends la lampe, me coupa Florián. Et ça aussi.

« Ça », c'était le revolver. Je les saisis pendant qu'il s'attaquait à la porte métallique. L'arme pesait plus lourd que je ne l'avais supposé. Je posai mon doigt sur la détente et l'examinai à la lumière de la lampe. Florián me lança un regard meurtrier.

— Attention, ce n'est pas un jouet. Fais l'idiot, et une balle t'éclatera la tête comme une pastèque.

La porte céda. Impossible de décrire la puanteur qui s'échappa de l'intérieur. Luttant contre les nausées, nous reculâmes de plusieurs pas.

— Qu'est-ce qu'il peut bien y avoir là-dedans ? s'exclama Florián.

Il sortit un mouchoir et s'en couvrit la bouche et le nez. Je lui rendis son arme et braquai la lampe. Il enfonça la porte d'un coup de pied. Je regardai à l'intérieur. L'atmosphère était si épaisse que l'on ne discernait presque rien. Florián arma son revolver et avança vers le seuil.

— Reste là ! m'ordonna-t-il.

J'ignorai son ordre et le suivis jusqu'à l'entrée du réduit.

— Nom de Dieu… ! l'entendis-je s'exclamer.

Je sentis l'air me manquer. Il était impossible d'accepter la vision qui s'offrait à nos yeux. Au milieu des ténèbres, pendus à des crocs rouillés, il y avait des dizaines de corps inertes, incomplets. Sur deux grandes tables était étalé dans un chaos total un étrange bric-à-brac : pièces de métal, engrenages et mécanismes en bois et en acier. Une collection de flacons posés dans une armoire vitrée, un jeu de seringues hypodermiques, et un mur entier couvert d'instruments de chirurgie sales, noircis.

— C'est quoi, ce bordel ? murmura la voix tendue de Florián.

Une forme humaine faite de bois et de peau, de métal et d'os, était étalée sur une des tables comme un macabre jouet inachevé. Elle représentait un enfant avec des yeux ronds de reptile ; une langue bifide affleurait entre ses lèvres noires. Sur son front, on pouvait lire, distinctement tatoué, le symbole du papillon.

— C'est son atelier... C'est ici qu'il les crée..., laissai-je échapper à voix haute.

À cet instant, les yeux de cette poupée infernale bougèrent. Elle tourna la tête. Ses entrailles produisaient le bruit d'une horloge que l'on remonte. Je sentis ses pupilles de serpent se poser sur moi. La langue bifide léchait les lèvres. Elle nous souriait.

— Foutons le camp, dit Florián. En vitesse !

Nous revînmes dans la galerie en fermant la porte derrière nous. Florián respirait difficilement. Je ne pouvais pas prononcer une parole. Il reprit la lampe de mes mains tremblantes et inspecta le tunnel. Tandis qu'il le faisait, je pus voir une goutte traverser le faisceau lumineux. Puis une autre. Et encore une autre. Des gouttes luisantes de couleur écarlate. Du sang. Nous échangeâmes un regard silencieux. Quelque chose coulait du plafond. Florián me fit signe de reculer de quelques pas et dirigea la lampe vers le haut. Je vis son visage pâlir et sa main, ferme jusque-là, se mettre à trembler.

— Cours ! fut la seule chose qu'il me dit. Cours et sors d'ici !

Il leva son revolver après m'avoir adressé un dernier regard. Je lus dans celui-ci d'abord la terreur, puis l'étrange assurance de la mort. Ses lèvres bougèrent pour ajouter quelque chose, mais le son n'eut pas le temps d'arriver jusqu'à sa bouche. Une forme obscure se précipita vers lui et le frappa avant qu'il ait pu esquisser un mouvement. Il y eut un coup de feu, une détonation assourdissante qui ricocha de mur en mur.

La lampe alla atterrir dans le ruisseau. Le corps de Florián fut projeté avec une telle force qu'il ouvrit une brèche en forme de croix dans les carreaux de céramique noircis de la paroi. Avant même qu'il ne s'en détache pour retomber par terre, inerte, j'eus la certitude qu'il était mort sur le coup.

Je me précipitai en cherchant désespérément le chemin de la sortie. Un hurlement animal se propagea dans les tunnels. Je me retournai. Une douzaine de formes rampaient, venues de tous les côtés. Je courus plus vite que je ne l'avais jamais fait de toute ma vie. J'entendais la meute invisible hurler derrière moi et, parfois, je trébuchais. L'image de Florián incrusté dans le mur restait gravée dans mon esprit.

J'étais proche de la sortie quand une silhouette bondit devant moi, à quelques mètres à peine, me barrant l'accès à la bouche d'égout. Je m'arrêtai net. La lumière qui filtrait d'en haut éclaira le visage d'un arlequin. Deux losanges noirs surmontaient ses yeux de verre, et des lèvres de bois poli laissaient entrevoir des crocs d'acier. Je fis un pas en arrière. Deux mains se posèrent sur mes épaules. Des ongles lacérèrent mes vêtements. Quelque chose m'entoura le cou. C'était visqueux et froid. Je sentis le nœud se serrer, me coupant la respiration. Ma vision se brouilla. Une autre chose m'attrapa par les chevilles. Devant moi, l'arlequin se pencha et tendit les mains vers ma figure. Je crus que j'allais perdre connaissance. Je priai pour que ce soit vrai. Une seconde plus tard, cette tête en bois, en peau et en métal explosa en mille morceaux.

Le coup de feu venait de ma droite. La détonation me défonça les tympans et l'odeur de poudre envahit l'air. L'arlequin s'écroula à mes pieds. Il y eut un second coup de feu. La pression sur ma gorge cessa et je tombai en avant. Je ne percevais plus que l'odeur intense de la poudre. Je me sentis tiré par quelqu'un. J'ouvris les yeux et distinguai un homme qui se penchait sur moi pour me relever.

Je perçus bientôt la lumière du jour et mes poumons s'emplirent d'air pur. Puis je perdis réellement connaissance. Je me souviens d'avoir rêvé d'un bruit de sabots de chevaux sur des pavés pendant que des cloches sonnaient à toute volée, interminablement.

21.

La chambre où je me réveillai me sembla familière. Les fenêtres étaient fermées et une clarté diaphane filtrait à travers les volets. Une ombre se tenait près de moi et m'observait : Marina.

— Bienvenue dans le monde des vivants.

Je me redressai d'un coup. Ma vue se brouilla tout de suite et je sentis des pointes de glace s'enfoncer dans mon cerveau. Marina me soutint pendant que la douleur s'éteignait doucement.

— Du calme, murmura-t-elle.

— Comment suis-je arrivé ici… ?

— Quelqu'un t'a déposé au lever du jour. Dans une voiture à cheval. Il n'a pas dit qui il était.

— Claret…, prononçai-je tout bas, tandis que les pièces du puzzle commençaient à s'assembler dans ma tête.

C'était Claret qui m'avait sorti des égouts et m'avait ramené à la villa de Sarriá. Je compris que je lui devais la vie.

— Tu m'as fait une peur épouvantable. Où es-tu

allé ? J'ai passé toute la nuit à t'attendre. Ne me refais plus jamais un coup pareil, tu m'entends ?

J'avais mal partout ; même faire oui de la tête était douloureux. Je me recouchai et Marina approcha un verre d'eau fraîche de mes lèvres. Je le bus d'un coup.

— Tu en veux encore, n'est-ce pas ?

Je l'entendis remplir le verre.

— Et Germán ? m'inquiétai-je.

— Il est dans son atelier. Il se faisait du souci pour toi. Je lui ai dit que tu as mangé quelque chose qui est mal passé.

— Et il t'a crue ?

— Mon père croit tout ce que je lui dis, répliqua Marina, sans une ombre d'humour.

Elle me tendit le verre d'eau.

— Qu'est-ce qu'il fait pendant toutes ces heures dans son atelier, puisqu'il ne peint plus ?

Marina posa la main sur mon poignet et me prit le pouls avant de répondre :

— Mon père est un artiste. Les artistes vivent dans l'avenir ou dans le passé, jamais dans le présent. Germán vit de souvenirs. C'est tout ce qu'il a.

— Il t'a, toi.

— Je suis le plus important de ses souvenirs, dit-elle en me regardant dans les yeux. Je t'ai apporté quelque chose à manger. Tu dois reprendre des forces.

Je fis non de la main. Le seule idée de manger me donnait la nausée. Maria passa une main derrière ma nuque et me soutint la tête pendant que je buvais de nouveau. L'eau fraîche et pure était une bénédiction.

— Quelle heure est-il ?

— Nous sommes au milieu de l'après-midi. Tu as dormi presque huit heures.

Elle posa sa main sur mon front et l'y laissa quelques secondes.

— En tout cas, tu n'as pas de fièvre.

J'ouvris les yeux et lui souris. Elle m'observait, sérieuse, pâle.

— Tu délirais. Tu parlais dans ton sommeil...

— Qu'est-ce que je disais ?

— Des absurdités.

Je portai mes doigts à ma gorge. Elle était douloureuse.

— N'y touche pas, dit Marina en écartant ma main. Tu as une bonne blessure au cou. Et des coupures sur les épaules et dans le dos. Qui t'a fait ça ?

— Je ne sais pas...

Marina soupira, impatiente.

— J'étais morte de peur. Je ne savais pas quoi faire. Je suis allée dans une cabine pour téléphoner à Florián, mais au café on m'a dit que tu venais d'appeler et que l'inspecteur était parti sans dire où il allait. J'ai rappelé juste avant l'aube et il n'était toujours pas revenu...

— Florián est mort. – Je sentis ma voix se briser en prononçant le nom du malheureux inspecteur. – La nuit dernière, je suis retourné au cimetière..., commençai-je.

— Tu es fou, m'interrompit Marina.

Elle avait probablement raison. Sans dire mot, elle m'offrit un troisième verre d'eau. Je le vidai jusqu'à la dernière goutte. Puis, lentement, j'expliquai ce qui m'était arrivé. Quand j'eus terminé mon récit, Marina se borna à me regarder en silence. Il me sembla qu'il y avait aussi autre chose qui l'inquiétait, quelque chose qui n'avait rien à voir avec tout ce que je venais de lui raconter. Elle insista pour que je mange ce qu'elle avait apporté, avec ou sans appétit. Elle me donna du pain et du chocolat et ne me quitta pas des yeux avant que j'aie avalé près d'une demi-tablette et un pain au lait de la taille d'un taxi automobile. Le coup de fouet du sucre dans le sang ne se fit pas attendre et je me sentis vite revivre.

— Pendant que tu dormais, moi aussi j'ai joué les détectives, dit Marina en désignant un épais volume relié en cuir posé sur la table de nuit. Je lus le titre au dos.

— Tu t'intéresses à l'entomologie ?

— Aux insectes, précisa-t-elle. J'ai rencontré notre ami le papillon noir.

— Teufel...

— Une adorable bestiole. Il vit dans les tunnels et les souterrains, loin de la lumière. Son cycle de vie est de quatorze jours. Avant de mourir, il enfouit son corps dans les décombres et, au bout de trois jours, une nouvelle larve naît de lui.

— Il ressuscite ?

— On peut dire les choses comme ça.

— Et de quoi se nourrit-il ? demandai-je. Dans les souterrains, il n'y a ni fleurs ni pollen...

— Il mange ses petits, précisa Marina. Tout est là-dedans. Vies exemplaires de nos cousins les insectes.

Marina alla à la fenêtre et écarta les rideaux. Le soleil envahit la chambre. Mais elle resta là, pensive. Je pouvais presque entendre tourner les rouages de son cerveau.

— Quel sens ça peut avoir de t'agresser et de reprendre l'album de photographies, si c'est pour le jeter ensuite ?

— Celui qui m'a attaqué cherchait probablement quelque chose qui se trouvait dans l'album.

— Mais, cette chose, quelle qu'elle soit, n'y était pas…, compléta Marina.

— Le docteur Shelley…, dis-je, la mémoire me revenant tout à coup.

Marina me dévisagea, sans comprendre.

— Quand nous sommes allés chez lui, nous lui avons montré l'image où on le voyait dans son cabinet.

— Et il l'a gardée !…

— Pas seulement. Au moment où nous partions, je l'ai vu la jeter dans le feu.

— Pourquoi Shelley aurait-il détruit cette photographie ?

— Peut-être parce qu'elle montrait quelque chose qu'il voulait ne laisser voir à personne…, lançai-je, en sautant du lit.

— Eh, où penses-tu aller comme ça ?

— Trouver Luis Claret, répliquai-je. C'est lui qui détient la clef de toute l'affaire.

— Tu ne sortiras pas de cette maison avant vingt-quatre heures, protesta Marina en s'adossant à la porte. L'inspecteur Florián a donné sa vie pour que tu aies une chance de sauver la tienne.

— En vingt-quatre heures, ce qui se cache dans ces tunnels aura eu le temps de venir nous chercher si nous ne faisons rien pour l'arrêter, Florián mérite au moins que nous lui rendions justice.

— Shelley a dit que la mort se moque bien de la justice, me rappela Marina. Il avait peut-être raison.

— Peut-être, admis-je. Mais nous, nous ne nous en moquons pas.

Quand nous arrivâmes aux limites du Raval, la brume flottait dans les ruelles, colorée par les lumières des taudis et des gargotes sordides. Nous avions laissé derrière nous l'aimable agitation des Ramblas et nous pénétrions dans l'antre le plus misérable de la ville. Il n'y avait pas trace de touristes ou de curieux. Des regards furtifs nous suivaient depuis les porches malodorants et les fenêtres qui se découpaient dans des façades prêtes à s'affaisser comme des tas de boue. L'écho des téléviseurs et des radios montait entre ces étroits canyons de la pauvreté sans dépasser les toits. La voix du Raval n'atteint jamais le ciel.

Bientôt, dans les interstices des immeubles couverts de décennies de crasse, apparut la silhouette noire et monumentale des ruines du Grand Théâtre royal. Au sommet, comme une girouette, se découpaient les contours d'un papillon aux ailes noires. Nous nous arrêtâmes pour contempler cette vision fantastique. L'édifice le plus délirant érigé à Barcelone se décomposait comme un cadavre dans un marécage.

Marina me désigna des fenêtres éclairées au troisième étage de l'annexe du théâtre. Nous nous dirigeâmes vers le porche. La cage d'escalier était encore inondée par les pluies de la nuit. Nous gravîmes les marches abîmées et noires.

— Et s'il refuse de nous recevoir ? s'inquiéta Marina.

— Je pense plutôt qu'il nous attend, improvisai-je.

Parvenus au deuxième étage, je remarquai que Marina avait du mal à respirer. Je m'arrêtai et vis la pâleur de son visage.

— Ça va ?

— Un peu essoufflée, répondit-elle avec un sourire que je ne trouvai pas convaincant. Tu vas trop vite pour moi.

Je lui pris la main et, marche après marche, je l'aidai à gagner le troisième étage. Nous fîmes halte devant la porte de Claret. Marina respira profondément. Son torse était agité de tremblements.

— Ça va, je te promets, dit-elle, devinant mes craintes. Allez, frappe. Tu ne m'as pas traînée jusqu'ici pour faire du tourisme, je suppose.

Je frappai à la porte. Elle était en bois ancien, solide et épaisse comme un mur. Des pas lents s'approchèrent du seuil. La porte s'ouvrit et Luis Claret, l'homme qui m'avait sauvé la vie, nous reçut.

— Entrez, se borna-t-il à dire, en repartant vers l'intérieur de l'appartement.

Nous fermâmes la porte derrière nous. L'appartement était obscur et froid. La peinture se détachait du plafond comme la peau d'un reptile. Des lampes sans ampoules abritaient des nids d'araignées. La mosaïque de carreaux sous nos pieds était cassée.

— Par ici ! nous parvint la voix de Claret du fond du logement.

Nous suivîmes sa trace jusque dans un salon à peine éclairé par un brasero. Il était assis devant le charbon qui brûlait, contemplant les braises en silence. Les murs étaient couverts de vieux portraits, gens et visages d'autres époques. Claret leva les yeux vers nous. Ils

électrique qui n'était jamais venu. Nous nous trouvions dans une entrée latérale de la scène. Sur nos têtes, les cintres s'élevaient à l'infini : tout un univers de rideaux, d'échafaudages, de poulies et de passerelles qui se perdait dans les hauteurs.

— Par ici, nous indiqua Claret en nous précédant.

Nous traversâmes la scène. Des instruments dormaient dans la fosse d'orchestre. Sur le pupitre du chef d'orchestre, une partition couverte de toiles d'araignée restait ouverte à la première page. Au-delà, le long tapis de l'allée centrale de la salle traçait un chemin qui ne menait nulle part. Claret se dirigea vers une porte éclairée et nous fit signe d'attendre. Marina et moi échangeâmes un regard.

La porte donnait sur une loge d'artiste. Cent robes sublimes étaient rangées sur des supports métalliques. Un mur était couvert de miroirs entourés de lampes. L'autre était occupé par des dizaines de vieilles photos représentant une femme d'une indicible beauté. Eva Irinova, la magicienne des scènes. La femme pour qui Mihaïl Kolvenik avait fait construire ce sanctuaire. Et, à cet instant même, je la vis. La dame en noir contemplait silencieusement son visage voilé dans le miroir. En entendant nos pas, elle se retourna lentement et fit un signe d'acquiescement. Alors, seulement, Claret nous permit d'avancer. Nous allâmes à elle comme on marche vers une apparition, avec un mélange de crainte et de fascination. Nous nous arrêtâmes à quelques mètres. Claret demeurait sur le seuil, vigilant. La femme se tourna de nouveau vers le miroir, étudiant son reflet.

Soudain, avec une délicatesse infinie, elle souleva

son voile. Les rares ampoules qui fonctionnaient nous révélèrent sa face dans le miroir, ou plutôt ce que l'acide en avait laissé. Des os dénudés et une peau flétrie. Des lèvres informes, tout juste une fente dans un visage détruit. Des yeux qui ne pourraient plus jamais pleurer. Durant un instant interminable, elle nous laissa contempler l'horreur qu'elle dissimulait ordinairement sous son voile. Puis, avec la même délicatesse qu'elle avait mise à découvrir sa figure et son identité, elle cacha de nouveau son visage et nous invita d'un geste à nous asseoir. Un long silence suivit.

Eva Irinova tendit une main vers le visage de Marina et le caressa, parcourant ses joues, ses lèvres, son cou. Lisant sa beauté et sa perfection du bout de ses doigts tremblants d'émotion. Marina avala sa salive. La dame retira sa main et je pus voir ses yeux sans paupières briller derrière le voile. Puis elle parla enfin et nous raconta l'histoire qu'elle avait tue depuis plus de trente ans.

22.

— Je n'ai jamais connu mon pays autrement que par des cartes postales. Tout ce que je sais de la Russie vient de contes, de récits plus ou moins fantaisistes et de souvenirs de tierces personnes. Je suis née sur un bac qui traversait le Rhin, dans une Europe ravagée par la guerre et la terreur. J'ai su plus tard que ma mère me portait déjà dans son ventre quand, seule et malade, elle avait passé la frontière russo-polonaise, fuyant la révolution. Elle est morte en me mettant au monde. Nul n'a jamais su son nom ni qui était mon père. On l'a enterrée au bord du fleuve dans une tombe sans repères et donc à jamais perdue. Un couple de comédiens de Saint-Pétersbourg qui voyageait sur le même bac, Sergueï Glazounov et sa jumelle Tatiana, m'a pris avec lui, par pitié et aussi, à ce que m'a confié Sergueï des années plus tard, parce que j'étais née avec des yeux pers et que cela porte bonheur.

» À Varsovie, grâce aux intrigues et aux manœuvres de Sergueï, nous nous sommes joints à un cirque qui se dirigeait vers Vienne. Mes premiers souvenirs sont ceux de ces gens et de leurs animaux. La tente du cirque,

applaudissements d'un public anonyme ont été la seule satisfaction que j'ai connue durant ces années. Avec le temps, j'en suis venue à en avoir davantage besoin que de l'air que je respirais.

» Nous voyagions beaucoup. Mon succès à Vienne était parvenu aux oreilles des imprésarios de Paris, de Milan, de Madrid. Sergueï et Tatiana ne me lâchaient pas d'une semelle. Bien entendu, je n'ai jamais vu un centime des recettes de tous ces concerts ni su ce qu'ils faisaient de l'argent. Sergueï avait constamment des dettes et des créanciers. Il m'accusait amèrement d'en être la seule responsable : tout allait à mon entretien et, en échange, j'étais incapable de me montrer reconnaissante des sacrifices que Tatiana et lui avaient consentis pour mon éducation. Sergueï m'a appris à me considérer comme une sale gosse, paresseuse, ignare et stupide. Une pauvre malheureuse qui ne parviendrait jamais à faire quelque chose de valable et qui ne susciterait jamais chez personne l'amour ou le respect. Mais rien de cela n'avait d'importance, me chuchotait Sergueï à l'oreille avec son haleine d'ivrogne, puisque Tatiana et lui seraient toujours là pour s'occuper de moi et me protéger du monde.

» Le jour de mes seize ans, j'ai découvert que je me détestais moi-même, au point que c'était tout juste si j'acceptais de me regarder dans la glace. J'ai cessé de manger. Mon corps me dégoûtait, et j'essayais de le cacher sous des robes sales et loqueteuses. Un jour, j'ai trouvé dans la boîte à ordures une vieille lame de rasoir de Sergueï. Je l'ai emportée dans ma chambre et j'ai pris l'habitude de me taillader les mains et les bras.

Pour me punir. Tatiana me soignait en silence toutes les nuits.

» Deux ans plus tard, à Venise, un comte qui m'avait vu sur scène m'a proposé de m'épouser. La nuit même, en l'apprenant, Sergueï m'a rouée de coups. Il m'a fendu les lèvres et brisé deux côtes. Tatiana et la police l'ont empêché de continuer. J'ai quitté Venise en ambulance. Nous sommes revenus à Vienne, mais les problèmes financiers de Sergueï ne lui laissaient plus de répit. Nous recevions des menaces. Une nuit, pendant notre sommeil, des inconnus ont mis le feu à notre maison. Quelques semaines plus tôt, Sergueï avait reçu une offre d'un imprésario de Madrid qui gardait un bon souvenir du succès que j'avais remporté lors de mon précédent passage. Daniel Mestres, c'était son nom, avait acquis un intérêt majoritaire dans le vieux Théâtre royal de Barcelone et voulait ouvrir la saison avec moi. C'est ainsi que, le matin même, nous avons fait nos valises en vitesse et pratiquement pris la fuite, direction Barcelone. J'allais avoir dix-neuf ans et priais le ciel de ne pas me laisser atteindre ma vingtième année. Je pensais de plus en plus à m'ôter la vie. Rien ne m'attachait à ce monde. J'étais morte depuis longtemps, mais, simplement, je ne m'en étais pas aperçue. C'est alors que j'ai fait la connaissance de Mihaïl Kolvenik...

» Nous étions déjà depuis plusieurs semaines au Théâtre royal. Le bruit courait dans la troupe qu'un homme assistait tous les soirs au spectacle dans la même loge pour m'entendre chanter. À l'époque, toutes sortes d'histoires circulaient dans Barcelone à propos de Mihaïl Kolvenik. Sur la manière dont il avait fait fortune… Sur sa vie privée et son identité pleine de mystères et d'énigmes… Sa légende le précédait. Un soir, intriguée par cet étrange personnage, j'ai décidé de lui faire parvenir une invitation à me rendre visite dans ma loge après la représentation. Il était presque minuit quand Mihaïl Kolvenik a frappé à ma porte. Toutes ces rumeurs m'avaient préparée à voir un individu menaçant et arrogant. Or ma première impression a été celle d'un homme timide et réservé. Il portait un costume sombre, avec simplicité et sans autre ornement qu'une petite broche qui brillait au revers de sa veste : un papillon noir aux ailes déployées. Il m'a remercié de mon invitation et exprimé son admiration, en affirmant que c'était un honneur de me connaître. Je lui dis qu'à en croire tout ce que j'avais entendu dire de lui, l'honneur était pour moi. Il a souri et suggéré d'oublier les rumeurs. Mihaïl avait le plus beau sourire que j'aie jamais connu. Quand il en faisait usage, on était prêt à croire tout ce qui sortait de ses lèvres. Quelqu'un a dit un jour que, pour peu qu'il en ait eu envie, Mihaïl aurait été capable de convaincre Christophe Colomb que la terre était plate comme une galette ; et il avait raison. Cette nuit-là, il m'a persuadée d'aller me promener avec lui dans Barcelone. Il m'a expliqué qu'il aimait parcourir les rues de la ville endormie après minuit. Moi qui n'étais pratiquement pas sortie de ce théâtre depuis notre arrivée, j'acceptai. Je savais que Sergueï et Tatiana seraient furieux en l'apprenant, mais peu m'importait. Nous sommes sortis incognito par les coulisses. Mihaïl m'a offert le bras et nous avons marché jusqu'au petit jour. Il m'a fait voir la ville magique à travers ses yeux. Il m'a parlé de ses mystères, de ses coins ensorcelés et de l'esprit qui vivait dans ces rues. Il m'a raconté mille et une légendes. Nous avons parcouru les chemins secrets du Quartier gothique et de la vieille ville. Il semblait tout savoir. Il savait qui avait vécu dans tel immeuble, quels crimes et quelles romances s'étaient déroulés derrière tel mur et telle fenêtre. Il connaissait les noms de tous les architectes, il évoquait les artisans et les mille noms invisibles de ceux qui avaient construit ce décor. Pendant qu'il parlait, j'ai eu le sentiment qu'avant moi Mihaïl n'avait jamais partagé ces histoires. La solitude qui se dégageait de sa personne m'a attristée et, un moment, j'ai cru voir au fond de lui un abîme infini qu'il ne pouvait s'empêcher de laisser affleurer. L'aube nous a surpris sur un banc du port. J'ai observé cet inconnu avec qui j'avais marché pendant des heures, et j'ai eu l'impression de le connaître depuis toujours. Je le lui ai dit. Il a ri, et, tout de suite, avec cette étonnante certitude qui ne nous vient qu'une ou deux fois dans une vie, j'ai su que j'allais passer le reste de mon existence à son côté.

» Cette nuit-là, Mihaïl m'a raconté qu'il croyait que la vie accorde à chacun de nous quelques rares moments de bonheur total. Ce sont parfois des jours, parfois des semaines. Parfois même des années. Tout dépend de la chance. Leur souvenir nous accompagne à jamais et se transforme en une contrée de la mémoire où nous tentons de retourner le reste de notre existence sans jamais y parvenir. Pour moi, ces moments resteront toujours au cœur de cette première nuit où nous nous sommes promenés dans la ville…

» La réaction de Sergueï et de Tatiana ne s'est pas fait attendre. Particulièrement celle de Sergueï. Il m'a interdit de revoir Mihaïl ou de lui parler. Il m'a dit que si je sortais du théâtre sans sa permission, il me tuerait. Pour la première fois de ma vie, j'ai découvert qu'il ne m'inspirait plus de la terreur, seulement du mépris. Pour augmenter sa rage, je lui ai dit que Mihaïl m'avait proposé de l'épouser et que j'avais accepté. Il m'a rappelé qu'il était mon tuteur légal et que non seulement il n'acceptait pas ce mariage mais que nous partions sur-le-champ pour Lisbonne. J'ai fait parvenir un message désespéré à Mihaïl par une danseuse de la troupe. Le soir, avant la représentation, il est venu au théâtre avec deux de ses avocats pour rencontrer Sergueï. Il lui a annoncé qu'il avait signé l'après-midi même un contrat avec l'imprésario du Théâtre royal qui faisait de lui le nouveau propriétaire. Dès cet instant, Sergueï et Tatiana devaient se considérer comme renvoyés.

» Il a exhibé un dossier de documents et de preuves concernant leurs activités illégales à Vienne, Varsovie et Barcelone. Il y en avait assez pour les envoyer passer quinze ou vingt ans derrière les barreaux. À cela, il a ajouté un chèque supérieur à tout ce que Sergueï pourrait tirer de ses minables trafics jusqu'à la fin de ses jours. L'offre était la suivante : soit ils quittaient Barcelone pour toujours dans un délai de quarante-huit heures et s'engageaient à ne plus jamais avoir le moindre contact avec moi, et dans ce cas ils pouvaient emporter le dossier et le chèque ; soit ils refusaient de coopérer, et ce dossier atterrirait dans les mains de la police, accompagné d'un chèque destiné à mettre de l'huile dans les rouages de la machine judiciaire. Sergueï a laissé exploser sa fureur. Il a crié comme un dément qu'il ne se séparerait jamais de moi, et que si Mihaïl prétendait s'en tirer comme ça, il lui faudrait d'abord passer sur son cadavre.

» Mihaïl lui a adressé un sourire et a pris congé. Cette même nuit, Tatiana et Sergueï rencontraient un étrange personnage qui leur proposait ses services comme tueur à gages. En sortant de leur rendez-vous, des coups de feu anonymes partis d'une voiture faillirent les laisser pour morts. Les journaux ont publié l'information en donnant plusieurs hypothèses pour expliquer l'attentat. Le lendemain, Sergueï a accepté le chèque de Mihaïl et disparu de la ville avec Tatiana sans prendre le temps de dire adieu…

» Quand j'ai appris ce qui s'était passé, j'ai exigé de Mihaïl qu'il me dise s'il était responsable de l'agression. Je désirais désespérément qu'il me réponde non. Il m'a observé fixement et m'a demandé pourquoi je doutais de lui. Je me suis sentie mourir. Tout ce château de cartes de bonheur et d'espoir semblait sur le point de s'écrouler. Je lui ai posé de nouveau la question. Il a répondu que non, il n'en était pas responsable.

» — Si c'était moi, aucun des deux ne serait resté vivant, a-t-il ajouté froidement.

» Sur ces entrefaites, il a engagé l'un des meilleurs architectes de la ville pour lui construire la résidence voisine du parc Güell, en suivant ses indications. Il n'en a pas discuté le coût un instant. Le temps que cette sorte de château soit terminé, Mihaïl a loué tout un étage du vieil hôtel Colón sur la place de Catalogne. Nous nous y sommes installés provisoirement. Pour la première fois de ma vie, j'ai découvert qu'il était possible d'avoir tellement de domestiques que l'on ne pouvait se souvenir de tous leurs noms. Mihaïl n'avait qu'un serviteur, Luis, son chauffeur.

» Les bijoutiers de Bagués me rendaient visite dans ma suite. Les modistes les plus réputées prenaient mes mesures pour me confectionner une garde-robe d'impératrice. Il avait ouvert un compte illimité à mon nom dans les meilleurs établissements de Barcelone. Des gens que je n'avais jamais vus me saluaient avec déférence dans la rue ou le hall de l'hôtel. Je recevais des invitations pour des bals dans des hôtels particuliers de familles dont je n'avais jamais lu le nom ailleurs que dans les chroniques mondaines. J'avais à peine vingt ans. Je n'avais jamais eu dans les mains assez d'argent pour acheter un billet de tramway. Je rêvais éveillée. J'ai fini par me sentir gênée par tout ce luxe et ce gaspillage autour de moi. Quand j'en faisais part à Mihaïl, il me répondait que l'argent n'a aucune importance, sauf pour ceux qui n'en ont pas.

» Nous passions les journées ensemble, nous nous promenions dans la ville, nous allions au casino du Tibidabo, bien que je n'aie jamais vu Mihaïl jouer une seule peseta, au Liceo… Le soir, nous revenions à l'hôtel Colón et Mihaïl se retirait dans sa suite. À la longue, je me suis rendu compte que, de nombreuses nuits, Mihaïl ressortait pour ne rentrer qu'à l'aube. Il prétendait devoir régler des questions de travail.

» Mais les murmures grandissaient. C'était comme si j'allais me marier avec un homme que tout le monde connaissait mieux que moi. J'entendais les domestiques bavarder dans mon dos. Dans la rue, je voyais, derrière leur sourire hypocrite, les gens m'examiner à la loupe. Lentement, je me suis laissé piéger par mes propres soupçons. Et une idée est venue me torturer. Tout ce luxe, tout cet étalage de biens matériels autour de moi me faisaient sentir comme une pièce du mobilier parmi d'autres. Un caprice de plus de Mihaïl. Il pouvait tout acheter : le Théâtre royal, Sergueï, des voitures, des bijoux, des maisons. Et moi. J'étais dévorée d'inquiétude en le voyant partir au milieu de la nuit, convaincue qu'il courait dans les bras d'une autre femme. Un soir, j'ai décidé de le suivre pour en finir avec ce mystère.

» Ses pas m'ont conduite jusqu'à l'ancienne fabrique de Velo-Granell près du marché du Borne. Mihaïl était venu seul. J'ai dû me glisser par une minuscule fenêtre donnant sur une ruelle. L'intérieur m'est apparu comme une scène de cauchemar. Des centaines de pieds, de mains, de bras, de jambes, d'yeux de verre flottaient entre les piliers... des pièces de rechange pour une humanité brisée et misérable. J'ai traversé les lieux pour arriver dans une grande salle obscure occupée par d'énormes réservoirs en verre dans lesquels semblaient nager des silhouettes indéfinissables. Au centre de la salle, dans la pénombre, Mihaïl m'observait, assis sur une chaise et fumant une cigarette.

» — Tu n'aurais pas dû me suivre, a-t-il dit, sans colère dans la voix.

» J'ai fait valoir que je ne pouvais pas me marier avec un homme dont je n'avais vu que la moitié, un homme dont je ne connaissais que les journées et pas les nuits.

» — Ce que tu vas découvrir ne te plaira peut-être pas, a-t-il objecté.

» Je lui ai répondu que peu m'importait le quoi ou le comment. Peu m'importait ce qu'il faisait ou les rumeurs qui couraient sur lui. Je voulais juste faire complètement partie de sa vie. Sans ombres. Sans secrets. Il a acquiescé, et j'ai su ce que cela signifiait : franchir un seuil, sans espoir de retour. Lorsque Mihaïl a allumé les lumières de la salle, je me suis éveillée de mon rêve des dernières semaines. J'étais en enfer.

» Les réservoirs de formol contenaient des cadavres qui tournaient dans un ballet macabre. Sur une table métallique gisait le corps nu d'une femme ouverte du ventre à la gorge. Les bras étaient disposés en croix et je remarquai que leurs articulations et celles des mains étaient des pièces en bois et en métal. Des tubes descendaient le long de son cou et des câbles de bronze s'enfonçaient dans les extrémités et les hanches. La peau était translucide, bleutée comme celle d'un poisson. J'ai observé Mihaïl sans rien dire pendant qu'il s'approchait du corps et le contemplait avec tristesse.

» — Voilà ce que la nature fait avec ses enfants. Le mal n'est pas dans le cœur des hommes, il n'y a qu'une simple lutte pour survivre à l'inévitable. Il n'y a pas d'autre démon que la mère nature… Mon travail, tous mes efforts ne sont rien de plus qu'une tentative de déjouer le grand sacrilège de la création…

» Je l'ai vu prendre une seringue et la remplir du liquide émeraude qu'il tirait d'un flacon. Nos yeux se sont rencontrés brièvement, puis Mihaïl a enfoncé l'aiguille dans le crâne du cadavre. Il a vidé le contenu de la seringue. Après l'avoir retirée, il est resté immobile un instant, observant le corps inerte. Quelques secondes plus tard, j'ai senti mon sang se glacer. Les cils d'une des paupières tremblaient. J'ai entendu le bruit des engrenages des articulations en bois et en métal. Les doigts se sont agités. Subitement, dans une violente secousse, le corps s'est dressé. Un cri animal, assourdissant, s'est répandu dans la salle. Des filets d'écume blanche coulaient des lèvres noires, tuméfiées. La femme s'est défaite des câbles qui perforaient sa peau et est tombée sur le sol comme un pantin cassé. Son hurlement était celui d'un loup blessé. Elle a levé la tête et rivé ses yeux sur moi. J'étais incapable de détourner la vue de l'horreur que je lisais en eux. Son regard exprimait une force animale terrifiante. Elle voulait vivre.

» Je me suis sentie paralysée. En quelques secondes, le corps est redevenu inerte, sans vie. Mihaïl, qui était resté tout ce temps impassible, a pris un drap et recouvert le cadavre.

» Il est venu vers moi et a pris mes mains tremblantes dans les siennes. Il m'a regardée comme s'il voulait lire dans mes yeux si je serais capable de continuer à vivre près de lui après ce que je venais de voir. J'ai essayé de trouver les mots pour exprimer ma peur, pour lui dire à quel point il se fourvoyait... Je n'ai pu que balbutier qu'il m'emmène loin de ce lieu. C'est ce qu'il a fait. Nous sommes retournés à l'hôtel Colón. Il m'a accompagnée dans ma chambre, m'a fait monter une tasse de bouillon chaud et m'a bordée dans mon lit pendant que je la buvais.

» — La femme que tu as vue cette nuit est morte il y a six semaines sous les roues d'un tramway. Elle a sauté pour sauver un enfant qui jouait sur les rails et n'a pu éviter le choc. Les roues lui ont sectionné les bras à la hauteur du coude. Elle est morte dans la rue. Personne ne connaissait son nom. Personne ne l'a réclamée. Il y en a des douzaines comme elle. Tous les jours...

» — Mihaïl, tu ne comprends pas… Tu ne peux pas faire le travail de Dieu…

» Il m'a caressé le front avec un sourire triste, en acquiesçant. Puis il m'a souhaité bonne nuit et s'est dirigé vers la porte. Au moment de sortir, il s'est arrêté.

» — Si demain matin tu n'es plus là, a-t-il dit, je comprendrai.

» Deux semaines plus tard, nous nous sommes mariés dans la cathédrale de Barcelone.

23.

— Mihaïl désirait que ce jour me soit entièrement consacré. Il a fait en sorte que toute la ville se transforme en un décor de conte de fées. Mon règne d'impératrice de ce monde de rêve s'est terminé pour toujours sur les marches du parvis de la cathédrale. Je n'ai même pas pu entendre les applaudissements des gens. Comme une bête sauvage qui jaillit de sa jungle, Sergueï a fendu la foule et m'a jeté un flacon d'acide à la figure. L'acide a dévoré ma peau, mes paupières, mes mains. Il a déchiqueté ma gorge et fauché ma voix. Il a fallu deux ans pour que j'arrive à reparler, réparée par Mihaïl comme une poupée cassée. Tel a été le début de l'horreur.

» Les travaux de notre maison se sont arrêtés et nous nous sommes installés dans cette résidence inachevée. Nous en avons fait une prison qui se dressait sur le haut d'une colline. C'était un lieu froid et obscur. Un amas de tours et d'arcs, de voûtes et d'escaliers en colimaçon qui ne montaient nulle part. Je vivais recluse dans une pièce située en haut de la tour. Nul n'y avait accès à l'exception de Mihaïl et, parfois, du docteur Shelley. J'ai passé la première année dans la léthargie de la morphine, prisonnière d'un long cauchemar. Dans mes rêves, je croyais voir Mihaïl se livrer sur moi aux mêmes expériences que sur ces corps abandonnés dans les hôpitaux et les morgues. Me reconstruire et déjouer la nature. Lorsque j'ai repris mes esprits, j'ai constaté que mes rêves étaient vrais. Il m'a rendu la voix. Il m'a refait la gorge pour que je puisse m'alimenter et parler. Il a modifié mes terminaisons nerveuses pour que je ne sente pas la douleur des plaies que l'acide avait laissées sur mon corps. Oui, j'ai déjoué la mort, mais c'était pour devenir une des créatures maudites de Mihaïl.

» Par ailleurs, Mihaïl avait perdu son influence dans la ville. Personne ne le soutenait. Ses anciens alliés lui tournaient le dos et l'abandonnaient. La police et les autorités judiciaires ont commencé leur harcèlement. Son associé, Sentís, était un être cupide, mesquin et envieux. Il a fourni de fausses informations qui impliquaient Mihaïl dans mille affaires dont celui-ci n'avait jamais entendu parler. Il voulait l'éloigner du contrôle de la société. Ce n'était qu'un parmi d'autres dans la meute. Tous étaient impatients de voir Mihaïl tomber de son piédestal pour dévorer les restes. La cohorte des hypocrites et des adulateurs s'est transformée en une horde d'hyènes affamées. Rien de tout cela ne surprenait Mihaïl. Depuis le début, il n'avait jamais fait confiance qu'à son ami Shelley et à Luis Claret. "La mesquinerie des hommes, disait-il toujours, est une mèche en quête d'une flamme." Mais cette trahison a fini par rompre le lien fragile qui l'unissait au monde extérieur. Son comportement était de plus en plus extravagant. Il avait pris l'habitude d'élever dans les caves des dizaines d'exemplaires d'un insecte qui l'obsédait, un papillon noir connu sous le nom de Teufel. Très vite, les papillons noirs ont peuplé notre forteresse. Ils se posaient sur les miroirs, les tableaux et les meubles comme des sentinelles silencieuses. Mihaïl interdisait qu'on les détruise, qu'on les chasse ou même qu'on s'en approche. Un essaim d'insectes aux ailes noires voletait dans les couloirs et les pièces. Parfois, ils se posaient sur Mihaïl immobile et le recouvraient en entier. Quand je le voyais ainsi, j'avais peur de le perdre pour toujours.

» C'est de cette époque que date mon amitié avec Luis Claret, qui ne s'est pas démentie jusqu'à ce jour. C'était lui qui me tenait informée de ce qui se passait au-delà des murs de cette forteresse. Mihaïl m'avait raconté de fausses histoires à propos du Théâtre royal et de ma réapparition sur la scène. Il parlait de réparer les dommages causés par l'acide, de me donner la possibilité de chanter avec une voix que je n'avais plus... Chimères. Luis m'a expliqué que les travaux du Théâtre royal étaient suspendus. Les fonds étaient épuisés depuis des mois. L'édifice était une immense caverne inutile... La sérénité affichée par Mihaïl devant moi n'était qu'une façade. Il passait des mois sans sortir de chez nous. Des jours entiers enfermé dans son bureau, mangeant et dormant à peine. Joan Shelley m'a avoué par la suite qu'il craignait pour sa santé et son bon sens. Il le connaissait mieux que personne et l'avait assisté dans ses expériences depuis le début. C'est lui qui m'a parlé clairement de l'obsession de Mihaïl pour les maladies dégénératives, de ses efforts désespérés pour trouver les mécanismes par lesquels la nature déformait et atrophiait les corps. Il avait toujours vu dans ceux-là un ordre, une volonté au-delà de toute raison. À ses yeux, la nature était une bête sauvage qui dévorait ses propres enfants, sans se soucier du destin et du sort des êtres qu'elle abritait. Il collectionnait les photographies de cas extraordinaires d'atrophies et de phénomènes médicaux. Il espérait trouver chez ces êtres humains la réponse à sa question : comment tromper leurs démons.

» C'est alors que les premiers symptômes du mal se sont manifestés. Mihaïl savait qu'il couvait depuis toujours en lui, attendant patiemment de se déclencher comme un mécanisme d'horlogerie. Il l'avait su dès le jour où il avait vu mourir son frère à Prague. Son corps commençait à se détruire lui-même. Ses os se décomposaient. Il couvrait ses mains avec des gants. Il cachait son visage et ses membres. Il fuyait ma compagnie. Je feignais de ne rien voir, mais c'était évident : sa silhouette se métamorphosait. Un matin d'hiver, ses cris m'ont réveillée. Il renvoyait les domestiques. Aucun ne s'y est opposé, car tous, depuis les derniers mois, avaient peur de lui. Seul Luis a refusé de l'abandonner. Mihaïl, pleurant de rage, a détruit tous les miroirs et couru s'enfermer dans son bureau.

» Un soir, j'ai demandé à Luis d'aller chercher le docteur Shelley. Cela faisait quinze jours que Mihaïl ne sortait plus et ne répondait pas à mes appels. Je l'entendais sangloter derrière la porte de son bureau, se parler à lui-même… Je ne savais que faire. J'allais le perdre. À nous trois, nous avons enfoncé la porte et réussi à le faire sortir. Nous avons constaté avec horreur que Mihaïl s'était opéré lui-même, en essayant de refaire sa main gauche qui s'était transformée en une serre grotesque et inutilisable. Shelley lui a administré un sédatif et nous avons veillé sur son sommeil jusqu'à l'aube. Au cours de cette longue nuit, Shelley a craqué, et il a trahi sa promesse de ne jamais révéler l'histoire que Mihaïl lui avait confiée des années auparavant. En écoutant son récit, j'ai compris ce que ni la police ni l'inspecteur Florián n'avaient jamais pu imaginer : ils poursuivaient un fantôme. Mihaïl n'était ni un criminel ni un escroc. C'était simplement un homme qui voulait piéger la mort avant d'être piégé par elle.

» Mihaïl Kolvenik est né dans un tunnel des égouts de Prague le dernier jour du XIXe siècle. Sa mère était une domestique de dix-sept ans à peine, qui servait dans un hôtel particulier de la haute noblesse. Sa beauté et son ingénuité en avaient fait la favorite du maître. Quand on sut qu'elle était enceinte, elle fut chassée comme un chien galeux et se retrouva dans les rues couvertes de neige et d'immondices. Marquée à vie. Ces années-là, l'hiver couvrait les rues d'un épais manteau neigeux. On racontait que les déshérités couraient se cacher dans les vieilles galeries des égouts. La légende locale parlait d'une authentique cité de ténèbres sous les rues de Prague, où des milliers de malheureux passaient leur vie sans jamais voir le soleil. Clochards, malades, orphelins et fugitifs. Tous pratiquaient le culte d'un personnage énigmatique qu'ils appelaient le Prince des Mendiants. On disait qu'il n'avait pas d'âge, que son visage était celui d'un ange et que son regard était de feu. Qu'il vivait enveloppé dans un manteau de papillons noirs qui couvraient son corps, et qu'il accueillait dans son royaume tous ceux auxquels la cruauté du monde avait refusé le droit de vivre à la surface. Cherchant cet univers d'ombres pour survivre, la jeune fille s'enfonça dans les souterrains. Elle découvrit bientôt que la légende était vraie. Les gens des tunnels vivaient dans les ténèbres et formaient leur propre monde. Ils avaient leurs propres lois. Et leur propre Dieu : le Prince des Mendiants. Personne ne l'avait jamais vu, mais tous croyaient en lui et faisaient des offrandes en son honneur. Tous avaient la peau marquée de l'emblème du papillon noir. La prophétie disait qu'un jour un messie envoyé par le Prince des Mendiants descendrait dans les tunnels et donnerait sa vie pour racheter la souffrance de leurs habitants. La perdition de ce messie viendrait de ses propres mains.

» La jeune mère donna le jour à des jumeaux : Andrej et Mihaïl. Andrej était né avec une terrible maladie. Ses os ne parvenaient pas à se solidifier, son corps se développait sans forme ni structure. Un habitant des tunnels, un médecin poursuivi par la justice, expliqua à la mère que le mal était incurable. La fin était seulement une question de temps. En revanche, son frère Mihaïl était un enfant d'une vive intelligence, quoique d'un caractère renfermé, qui rêvait de quitter un jour les tunnels pour émerger dans le monde de la surface. Il lui arrivait d'imaginer que c'était peut-être lui le messie attendu. Personne ne savait qui était son père, aussi attribuait-il dans sa tête ce rôle au Prince des Mendiants, qu'il croyait entendre en rêve. Il n'y avait pas en lui de signes apparents du terrible mal qui devait emporter son frère. Et, de fait, Andrej mourut à l'âge de sept ans sans être jamais sorti des égouts. Après sa mort, son corps fut livré aux courants souterrains, suivant le rituel des gens des tunnels. Mihaïl demanda à sa mère le pourquoi de tout cela.

» — C'est la volonté de Dieu, Mihaïl, lui répondit-elle.

» Mihaïl ne devait jamais oublier ces paroles. La mort du petit Andrej fut pour sa mère un coup dont elle ne parvint pas à se relever. L'hiver suivant, elle contracta une pneumonie. Mihaïl resta près d'elle jusqu'au dernier moment en tenant sa main tremblante. Elle avait vingt-sept ans et les traits d'une vieille.

» — Et ça aussi, mère, c'est la volonté de Dieu ? interrogea Mihaïl devant le corps sans vie.

» Il n'obtint jamais de réponse. Quelques jours plus tard, il émergea au grand jour. Plus rien ne l'attachait au monde souterrain. Mort de faim et de froid, il chercha refuge sous un porche. Le hasard voulut qu'un médecin qui revenait d'une visite, Antonin Kolvenik, le trouve là. Le docteur le recueillit et l'emmena dans une brasserie où il lui fit servir à manger.

» — Comment t'appelles-tu, mon garçon ?

» — Mihaïl, monsieur.

» Antonin Kolvenik pâlit.

» — J'ai eu un fils qui s'appelait comme toi. Il est mort. Où est ta famille ?

» — Je n'ai pas de famille.

» — Mais ta mère ?

» — Dieu l'a prise.

» Le docteur hocha gravement la tête. Il ouvrit sa trousse et en sortit un instrument qui laissa Mihaïl bouche bée. À l'intérieur, il en entrevit d'autres. Luisants. Prodigieux. Le docteur posa l'étrange objet sur le torse du garçon et en mit un bout dans chacune de ses propres oreilles.

» — Qu'est-ce que c'est ?

» — Ça sert à écouter ce que disent tes poumons… Respire à fond.

» — Vous êtes magicien ? demanda Mihaïl, stupéfait.

» Le docteur sourit.

» — Non, je ne suis pas magicien. Je suis seulement médecin.

» — Quelle est la différence ?

» Antonin Kolvenik avait perdu sa femme et son fils dans une épidémie de choléra, des années auparavant. Depuis, il vivait seul, exerçant modestement sa profession de chirurgien et cultivant sa passion pour les œuvres de Richard Wagner. Il observa ce garçon loqueteux avec curiosité et compassion. Mihaïl lui sourit, de ce sourire où il mettait le meilleur de lui-même.

» Le docteur Kolvenik décida de le prendre sous sa protection et de l'emmener vivre chez lui. Mihaïl y passa les dix années qui suivirent. Du bon docteur, il reçut une éducation, un foyer et un nom. Il n'était encore qu'un adolescent quand il commença d'assister son père adoptif dans ses opérations et d'apprendre les mystères du corps humain. L'insondable volonté de Dieu se manifestait à travers des assemblages complexes de chair et d'os, animés par une étincelle de magie incompréhensible. Mihaïl absorbait avidement ces leçons, avec la certitude qu'il y avait dans cette science un message qui attendait d'être découvert.

» Il n'avait pas encore vingt ans quand la mort revint le visiter. Depuis quelque temps, la santé du vieux docteur s'altérait. Un soir de Noël, une crise cardiaque lui détruisit la moitié du cœur, alors qu'ils projetaient de faire un voyage pour que Mihaïl connaisse le sud de l'Europe. Antonin Kolvenik était mourant. Mihaïl se jura que la mort ne le lui arracherait pas.

» — Mon cœur est fatigué, Mihaïl, disait le vieux docteur. L'heure est venue de rejoindre ma Frida et mon autre Mihaïl…

» — Je vous donnerai un nouveau cœur, père.

» Le docteur sourit. Cet étrange garçon et ses idées extravagantes… Il ne regrettait de quitter ce monde que pour une seule raison : il allait le laisser seul et sans ressources. Mihaïl n'avait pas d'autres amis que les livres. Qu'allait-il devenir ?

» — Tu m'as déjà donné dix ans de ta vie, Mihaïl, lui dit-il. Aujourd'hui, tu dois penser à toi. À ton avenir.

» — Je ne vous laisserai pas mourir, père.

» — Mihaïl, tu te souviens de ce jour où tu m'as demandé quelle était la différence entre un médecin et un magicien ? Eh bien, Mihaïl, il n'y a pas de magie. Notre corps commence à se détruire dès notre naissance. Nous sommes fragiles. Des créatures passagères. Tout ce qui reste de nous, ce sont nos actions, le bien ou le mal que nous faisons à nos semblables. Tu comprends ce que je veux te dire, Mihaïl ?

» Dix jours plus tard, la police trouva Mihaïl couvert de sang, en pleurs devant le cadavre de l'homme qu'il avait appris à appeler son père. Les voisins avaient alerté les autorités en sentant une étrange odeur et en entendant les gémissements du jeune homme. Le rapport de police conclut que Mihaïl, perturbé par la mort du docteur, avait ouvert le corps et tenté de reconstituer son cœur au moyen d'un mécanisme de valvules et d'engrenages. Il fut interné dans l'asile de fous de Prague, d'où il s'échappa deux ans plus tard en feignant d'être mort. Lorsque les autorités vinrent chercher son corps à la morgue, ils ne trouvèrent qu'un drap blanc et des papillons noirs qui volaient autour.

» Mihaïl arriva à Barcelone portant avec lui les germes de sa folie et du mal qui devait se manifester des années après. Il montrait peu d'intérêt pour les choses matérielles et pour la compagnie de ses semblables. Il n'a jamais tiré orgueil de la fortune qu'il a amassée. Il avait coutume de répéter que nul ne mérite de posséder un centime de plus que ce qu'il est prêt à donner à ceux qui en ont davantage besoin que lui. Le soir où je le rencontrai, Mihaïl me dit que, pour une raison inconnue, la vie nous donne ce que nous ne cherchions pas en elle. Elle lui avait apporté la fortune, la renommée et la puissance. Mais son âme ne désirait que la paix de l'esprit, le pouvoir d'apaiser les ombres qui logeaient dans son cœur…

» Dans les mois qui ont suivi l'épisode du bureau, nous nous sommes entendus, Shelley, Luis et moi, pour maintenir Mihaïl éloigné de ses obsessions et pour le distraire. Ce n'était pas chose facile. Mihaïl savait toujours quand nous lui mentions, même s'il ne le disait pas. Il semblait nous suivre docilement et s'être résigné à sa maladie… Quand je le regardais dans les yeux, cependant, j'y lisais la noirceur qui inondait son âme. Les conditions misérables dans lesquelles nous vivions ont empiré. Les banques avaient fermé nos comptes, et les biens de Velo-Granell avaient été confisqués par l'État. Sentís, qui avait cru que ses manœuvres feraient de lui le maître absolu de la société, se retrouvait ruiné. Tout ce qu'il a obtenu, c'est l'ancien appartement de Mihaïl, rue Princesa. Quant à nous, nous avons pu seulement conserver celles des propriétés qui avaient été mises à mon nom : le Grand Théâtre royal, ce caveau impossible où j'ai fini par me réfugier, et un jardin d'hiver, cette serre près du chemin de fer de Sarriá que Mihaïl avait utilisée jadis pour ses expériences personnelles.

» Pour nous procurer de quoi manger, Luis s'est chargé de vendre mes bijoux et mes robes au plus offrant. C'est ainsi que mon trousseau de mariée a contribué à notre survie. Mihaïl et moi ne nous parlions presque pas. Il errait dans notre demeure comme un spectre, de plus en plus déformé. Ses mains étaient incapables de tenir un livre. Ses yeux lisaient difficilement. Je ne l'entendais plus pleurer. Maintenant, il riait. Son rire amer en plein milieu de la nuit me glaçait le sang. Avec ses mains atrophiées, il remplissait d'une écriture illisible des pages et des pages d'un cahier dont nous ne connaissions pas le contenu. Lorsque le docteur Shelley venait le visiter, Mihaïl s'enfermait dans son bureau et refusait de sortir jusqu'à ce que son ami soit parti. J'ai avoué à Shelley ma peur de voir Mihaïl se suicider. Shelley m'a confié qu'il craignait pire. Je n'ai pas su ou pas voulu comprendre de quoi il parlait.

» Depuis un certain temps, j'agitais dans ma tête une autre idée folle. J'avais décidé d'avoir un enfant. J'ai cru voir en elle un moyen de sauver Mihaïl et notre couple.

J'étais convaincue que si je parvenais à lui donner un fils, Mihaïl y trouverait une raison de continuer à vivre et de revenir près de moi. Je me suis laissé mener par cette illusion. Tout mon corps brûlait de ce désir de concevoir cet être porteur de salut et d'espérance. Je rêvais de mettre au monde un petit Mihaïl pur et innocent. Mon cœur attendait cette autre version de son père, libre de tout mal. Je ne pouvais pas laisser Mihaïl soupçonner ce que je préparais, car il aurait refusé net. C'était déjà assez difficile de réussir à me trouver seule un moment avec lui. Je l'ai dit, depuis longtemps déjà Mihaïl me fuyait. En ma présence, il avait honte de sa déformation. La maladie commençait à affecter sa parole. Il bégayait, plein de rage et d'humiliation. Il ne pouvait plus absorber que des liquides. Mes efforts pour lui montrer que son état ne me répugnait pas, que nul mieux que moi comprenait et partageait ses souffrances, ne faisaient apparemment qu'empirer la situation. Mais j'ai attendu patiemment et, pour une fois dans ma vie, j'ai cru leurrer Mihaïl. En fait, je m'étais seulement leurrée moi-même. J'ai commis ma pire erreur.

» Lorsque j'ai annoncé à Mihaïl que nous allions avoir un enfant, sa réaction m'a terrifiée. Il a disparu pendant près d'un mois. Luis l'a trouvé dans le vieux jardin d'hiver de Sarriá des semaines plus tard, sans connaissance. Il avait travaillé sans relâche. Il avait reconstruit sa gorge et sa bouche. Son apparence était monstrueuse. Il s'était doté d'une voix profonde, métallique et maléfique. Ses mâchoires étaient garnies de crocs de métal. Son visage était méconnaissable, excepté les yeux. Sous cette horreur, l'âme du Mihaïl que j'aimais encore continuait de brûler dans son propre enfer. Près de son corps, Luis a trouvé une série de mécanismes et des centaines de plans. J'ai fait en sorte que Shelley y jette un œil pendant que Mihaïl récupérait grâce à un long sommeil dont il ne s'est réveillé qu'au bout de trois jours. Les conclusions du docteur ont été effroyables. Mihaïl avait perdu complètement la raison. Il projetait de reconstruire son corps en totalité avant que la maladie ne le consume entièrement. Nous l'avons relégué en haut de la tour, dans une cellule dont il ne pouvait pas s'échapper. J'ai donné naissance à notre fille pendant que j'entendais les hurlements sauvages de mon mari enfermé comme une bête. Je n'ai pas partagé un jour avec elle. Le docteur Shelley l'a prise en charge en jurant qu'il l'élèverait comme sa propre enfant. Elle s'appellerait María et, comme moi, ne connaîtrait jamais sa véritable mère. Le peu de vie qui me restait dans le cœur s'en est allé avec elle, mais je savais que je n'avais pas le choix. La tragédie était imminente, on pouvait la respirer dans l'air. Je pouvais la sentir comme un poison. Il n'y en avait plus pour longtemps. Comme toujours, le coup de grâce est venu de là où nous nous y attendions le moins.

» Benjamín Sentís, que l'envie et la jalousie avaient conduit à la ruine, ourdissait sa vengeance. Déjà, à l'époque, j'avais soupçonné que c'était lui qui avait aidé Sergueï à s'échapper lors de l'agression devant la cathédrale. Comme dans l'obscure prophétie des gens des tunnels, les mains que Mihaïl lui avait données des années auparavant avaient servi à tisser le malheur et la trahison. La dernière nuit de l'an 1948, Benjamín

Sentís est revenu pour assister à l'estocade finale de ce Mihaïl qu'il haïssait profondément.

» Durant ces années, mes anciens tuteurs, Sergueï et Tatiana, avaient vécu dans la clandestinité. Eux aussi étaient avides de vengeance. L'heure avait sonné. Sentís savait que la brigade de Florián préparait pour le lendemain une perquisition dans notre maison du parc Güell, à la recherche de prétendues preuves qui incrimineraient Mihaïl. Si cette opération avait lieu, les mensonges et les manipulations de Sentís seraient découverts. Peu avant minuit, Sergueï et Tatiana ont vidé plusieurs bidons d'essence autour de notre demeure. De sa voiture, Sentís, jouant toujours le rôle du lâche tapi dans l'ombre, a vu prendre les premières flammes, avant de bien vite repartir.

» Quand je me suis réveillée, la fumée bleue montait dans les escaliers. Le feu s'est répandu en quelques minutes. Luis m'a délivrée et nous avons réussi à nous sauver en sautant du balcon sur le toit des garages, puis de là dans le jardin. Lorsque nous nous sommes retournés, les flammes enveloppaient complètement les deux premiers étages et montaient vers la tour où nous tenions Mihaïl enfermé. J'ai voulu courir vers le brasier pour aller à son secours, mais Luis, ignorant mes cris et mes coups, m'a retenue dans ses bras. À cet instant, nous avons découvert Sergueï et Tatiana. Sergueï riait comme un dément. Tatiana tremblait en silence, ses mains empestant l'essence. Ce qui s'est passé ensuite reste pour moi comme une vision échappée d'un cauchemar. Les flammes avaient atteint le sommet de la tour. Les fenêtres ont explosé en répandant une pluie d'éclats de verre. Soudain, une forme a émergé du feu.

J'ai cru voir bondir un ange noir. C'était Mihaïl. Il rampait comme une araignée le long des murs auxquels il s'accrochait avec les griffes de métal qu'il s'était fabriquées. Il se déplaçait à une vitesse terrifiante. Sergueï et Tatiana le contemplaient, interdits, sans comprendre ce que c'était. L'ombre s'est jetée sur eux et, avec une force surhumaine, les a entraînés à l'intérieur. En les voyant disparaître dans cet enfer, j'ai perdu connaissance.

» Luis m'a emmenée dans le seul refuge qui nous restait, les ruines du Grand Théâtre royal. Depuis, c'est resté notre foyer. Le lendemain, les journaux ont annoncé la tragédie. Deux corps avaient été trouvés enlacés dans les combles, carbonisés. La police en a déduit que c'étaient Mihaïl et moi. Nous étions les seuls à savoir qu'il s'agissait en réalité de Sergueï et de Tatiana. On n'a jamais trouvé de troisième corps. Le même jour, Shelley et Luis se sont rendus dans la serre de Sarriá à la recherche de Mihaïl. Il n'y avait pas de trace de lui. Sa transformation était sur le point d'aboutir. Shelley a ramassé tous ses papiers, ses plans et ses écrits pour ne laisser aucun indice. Durant des semaines, il les a étudiés en espérant y rencontrer un signe qui nous permettrait de le localiser. Nous savions qu'il se cachait quelque part dans la ville dans l'attente de cette transformation finale. Grâce à ce qu'il avait pu déchiffrer, Shelley avait percé à jour le plan de Mihaïl. Son journal parlait d'un sérum à base d'essence de ces papillons noirs qu'il avait élevés pendant des années, le sérum avec lequel je l'avais vu ressusciter le cadavre d'une femme dans l'ancienne fabrique de Velo-Granell. J'ai enfin compris ce qu'il préparait. Mihaïl s'était retiré pour mourir. Il avait besoin de se défaire de ses derniers vestiges d'humanité pour passer de l'autre côté. Comme le papillon noir, son corps s'enfouirait pour renaître dans les ténèbres. Et quand il reviendrait, ce ne serait plus comme Mihaïl Kolvenik. Ce serait comme une bête sauvage. »

L'écho de ces paroles résonna dans le Grand Théâtre.

— Durant des mois, poursuivit Eva Irinova, nous n'avons plus eu de nouvelles de Mihaïl, et nous n'avons pas trouvé sa cachette. Au fond de nous-mêmes, nous espérions que son plan échouerait. Nous nous trompions. Un an après l'incendie, deux inspecteurs se sont rendus aux anciens locaux de Velo-Granell sur les indications d'un dénonciateur anonyme. Encore Sentís, naturellement. N'ayant plus de nouvelles de Sergueï et de Tatiana, il soupçonnait que Mihaïl était toujours vivant. Les installations de la fabrique étaient fermées et personne n'y avait accès. Les deux inspecteurs ont surpris quelqu'un à l'intérieur. Ils ont vidé leurs chargeurs dessus, mais...

Je me souvins de ce qu'avait dit Florián :

— ... Mais on n'a pas retrouvé les balles. Le corps de Kolvenik a absorbé tous les impacts.

La vieille dame acquiesça.

— Les corps des policiers ont été trouvés déchiquetés, dit-elle. Personne ne s'expliquait ce qui s'était passé. Sauf Shelley, Luis et moi. Mihaïl était revenu. Les jours suivants, tous les membres de l'ancien conseil d'administration de Velo-Granell qui l'avaient trahi ont trouvé la mort dans des circonstances peu claires.

Nous soupçonnions Mihaïl de se cacher dans les égouts et d'utiliser leurs tunnels pour se déplacer dans la ville. Pour lui, ce n'était pas un monde inconnu. Seule demeurait une interrogation. Pour quelle raison était-il venu dans la fabrique ? Une fois de plus, ses cahiers de travail nous ont donné la réponse : le sérum. Il avait besoin de se l'injecter pour rester en vie. Les réserves de la tour avaient été détruites et celles qu'il conservait dans le jardin d'hiver devaient être épuisées. Le docteur Shelley a soudoyé un officier de la police pour pouvoir entrer dans la fabrique. Nous y avons trouvé une armoire contenant les deux derniers flacons de sérum. Shelley en a conservé un en cachette. Après avoir combattu toute sa vie la maladie, la mort et la douleur, il ne se sentait pas capable de le détruire. Il avait besoin de l'étudier, d'en percer les secrets... En l'analysant, il a réussi à synthétiser un composé à base de mercure avec lequel il pensait pouvoir neutraliser son pouvoir. Il en a imprégné douze balles d'argent et les a gardées en espérant n'avoir jamais à s'en servir.

Je compris qu'il s'agissait des balles que Shelley avait remises à Luis Claret. C'était grâce à elles que j'étais vivant.

— Et Mihaïl ? demanda Marina. Sans le sérum...

— Nous avons trouvé son cadavre dans un égout sous le Quartier gothique. Ou plutôt ce qu'il en restait, car ce n'était plus qu'une créature d'enfer qui puait la charogne avec laquelle elle avait été fabriquée...

La vieille dame leva les yeux et regarda son ami Luis. Le chauffeur prit la parole pour compléter le récit.

— Nous avons enterré le corps au cimetière de Sarriá,

compris qu'il ne voulait que protéger María, c'était trop tard… Maintenant, Mihaïl va venir nous chercher.

— Pourquoi ? demanda Marina. Pourquoi reviendrait-il ici ?

La dame défit en silence les deux boutons supérieurs de sa robe et sortit une chaînette. De celle-ci pendait un flacon en verre contenant un liquide de couleur émeraude.

— Pour ceci, dit-elle.

24.

J'étais en train de contempler le flacon de sérum, quand j'entendis le bruit. Marina aussi l'avait entendu. Quelque chose rampait sur la coupole du théâtre.

— Ils sont là, dit Luis Claret sur le pas de la porte, d'une voix sombre.

Sans montrer de surprise, Eva Irinova remit le flacon en place. Je vis Claret sortir son revolver et vérifier le barillet. Les balles en argent que lui avait données Shelley brillaient à l'intérieur.

— Maintenant, vous devez partir, nous ordonna Eva Irinova. Vous connaissez la vérité. Apprenez à l'oublier.

Son visage était masqué par le voile et sa voix mécanique était inexpressive. Il me fut impossible de déduire quelle intention elle mettait dans ces mots.

— Avec nous, votre secret ne craint rien, dis-je à tout hasard.

— La vérité n'a jamais rien à craindre des gens, répliqua Eva Irinova. Partez vite.

Claret nous fit signe de le suivre et nous quittâmes la loge. À travers la coupole de verre, la lune projetait un rectangle argenté sur la scène. Au-dessus, se découpant comme des ombres dansantes, on pouvait apercevoir les silhouettes de Mihaïl Kolvenik et de ses créatures. En levant les yeux, il me sembla en distinguer presque une douzaine.

— Mon Dieu…, murmura Marina près de moi.

Claret regardait dans la même direction. Je vis la peur dans ses yeux. Une silhouette donna un coup violent sur le toit. Claret arma le percuteur de son revolver qu'il pointa. La créature continuait à cogner et dans quelques secondes la verrière ne pourrait que céder.

— Il y a un souterrain sous la fosse d'orchestre, qui traverse la salle jusqu'au hall, nous informa Claret sans quitter la coupole des yeux. Sous le grand escalier, vous trouverez une trappe qui donne sur un passage. Suivez-le jusqu'à une sortie de secours…

— Est-ce qu'il ne serait pas plus facile de retourner par où nous sommes venus ? demandai-je. En passant par votre logement…

— Non. Ils y sont déjà…

Marina m'agrippa et me tira par la main.

— Faisons ce qu'il dit, Óscar.

Je regardai Claret. Je pouvais lire maintenant dans son regard la froide sérénité d'un homme qui va à la rencontre de la mort à visage découvert. Une seconde plus tard, la verrière de la coupole éclata en mille morceaux et une créature se balança au-dessus de la scène avec des hurlements de loup. Claret visa le crâne et fit mouche, mais d'autres silhouettes se dessinaient déjà dans les hauteurs. Je reconnus tout de suite Kolvenik au milieu. Sur un signe de lui, toutes se laissèrent glisser dans le théâtre.

Nous sautâmes, Marina et moi, dans la fosse d'orchestre et suivîmes les indications de Claret, pendant que celui-ci couvrait nos arrières. J'entendis un autre coup de feu, assourdissant. Je me retournai une dernière fois avant d'entrer dans l'étroite galerie. Un corps enveloppé de haillons sanguinolents bondit sur la scène et se jeta sur Claret. L'impact de la balle ouvrit dans son torse un trou fumant de la taille d'un poing. Le corps continuait d'avancer quand je refermai la trappe et poussai Marina dans le souterrain.

— Qu'est-ce qu'il va arriver à Claret ?

— Je ne sais pas, mentis-je. Cours.

Nous nous lançâmes dans la galerie. Elle ne devait pas faire plus de un mètre de large sur un mètre et demi de haut. Il fallait se courber pour avancer et se tenir aux murs pour ne pas perdre l'équilibre. À peine avions-nous fait quelques mètres que nous entendîmes des pas au-dessus de nous. Ils nous suivaient à la trace dans la salle. L'écho des détonations se fit de plus en plus intense. Je me demandai combien de temps et combien de balles restaient encore à Claret avant qu'il ne soit déchiqueté par cette meute.

Tout à coup, quelqu'un souleva une latte de bois pourri au-dessus de nos têtes. La lumière pénétra comme une lame de couteau en nous aveuglant, et quelque chose tomba à nos pieds, un poids mort. Claret. Ses yeux étaient vides, sans vie. Dans ses mains, le canon de son pistolet fumait encore. Son corps ne portait pas de marques apparentes de blessures, mais il offrait un aspect insolite. Marina regarda par-dessus mon épaule et poussa un gémissement. On lui avait brisé le cou avec une telle force que son visage était tourné vers l'arrière. Une ombre nous couvrit et je vis un papillon noir se poser sur celui qui avait été l'ami fidèle de Kolvenik. Distrait, je ne me rendis pas compte de la présence de Mihaïl lui-même avant qu'il ne traverse le bois en décomposition et n'enserre de ses griffes le cou de Marina. Il la souleva et me l'arracha avant que je n'aie pu la retenir. Je criai son nom. Et alors, il me parla. Je n'oublierai jamais sa voix.

— Si tu veux revoir ton amie autrement qu'en morceaux, apporte-moi le flacon.

Pendant plusieurs secondes je fus incapable d'articuler la moindre pensée cohérente. Puis l'angoisse me rendit à la réalité. Je me penchai sur le corps de Claret et tâchai de lui prendre son arme. Les muscles de la main étaient restés crispés dans le spasme final. L'index était coincé dans le pontet. Détachant doigt après doigt, je finis par atteindre mon objectif. J'ouvris le barillet et vérifiai qu'il ne restait pas de munitions. Je palpai les poches de Claret à la recherche d'autres balles. Je trouvai la charge de rechange, six balles en argent à pointe perforante, dans l'intérieur de sa veste. Le pauvre homme n'avait pas eu le temps de les prendre. L'ombre de l'ami auquel il avait consacré toute son existence lui avait arraché la vie avant, d'un coup sec et brutal. Peut-être Claret, qui appréhendait depuis tant d'années cette rencontre, avait-il été au dernier moment incapable de tirer sur Mihaïl Kolvenik ou sur ce qui restait de lui. Mais qu'importait, désormais.

En tremblant, je rampai entre les murs de la galerie jusqu'à la surface de la salle et partis à la recherche de Marina.

Les balles du docteur Shelley avaient laissé une traînée de corps sur la scène. D'autres étaient restés embrochés sur les lustres ou pendaient des loges... Luis Claret avait fait face à la meute des bêtes sauvages qui accompagnaient Kolvenik. En voyant les cadavres de ces créatures monstrueuses, je ne pus éviter de penser que c'était là le meilleur destin auquel elles pouvaient aspirer. Privées de vie, la nature artificielle des greffes et des pièces qui les formaient était encore plus évidente. L'une d'elles gisait sur le dos dans le couloir central du parterre, les mâchoires disloquées. Je l'enjambai. Le vide de ses yeux opaques me donna une profonde sensation de froid. Il n'y avait rien en eux. Rien.

Je m'approchai de la scène et montai dessus. La lumière de la loge d'Eva Irinova était toujours allumée, mais il n'y avait personne. L'air puait la charogne. La trace de doigts ensanglantés courait sur les vieilles photos des murs. Kolvenik. J'entendis un craquement dans mon dos et me retournai, revolver braqué. Je distinguai des pas qui s'éloignaient. J'appelai :

— Eva ?

Je revins sur la scène et aperçus un cercle de lumière ambrée dans l'amphithéâtre. En m'approchant, je perçus la silhouette d'Eva Irinova. Elle tenait un chandelier et contemplait les décombres du Grand Théâtre royal. Les décombres de sa vie. Elle se retourna et, lentement, approcha les flammes vers les langues de velours rouge usé qui pendaient dans le vide. Le tissu desséché prit tout de suite. Elle traça ainsi un sillage de feu qui se propagea rapidement aux cloisons des loges, aux décorations dorées des murs et aux fauteuils.

— Non ! criai-je.

Elle ignora mon appel et disparut par la porte qui menait aux galeries derrière les loges. En quelques secondes, les flammes se transformèrent en un fléau d'Apocalypse qui progressait en anéantissant tout ce qu'il rencontrait sur son passage. L'éclat du brasier révéla un nouveau visage du Grand Théâtre royal. Je sentis une onde de chaleur, et l'odeur de bois et de peinture brûlés me donna la nausée.

Je suivis des yeux la montée des flammes. Je distinguai dans les hauteurs de la machinerie des cintres un système complexe de cordes, de rideaux, de poulies, de décors suspendus et de passerelles. Deux yeux luisants m'observaient de là-haut. Kolvenik. Il tenait Marina d'une seule main comme un jouet. Je le vis se déplacer entre les praticables avec une agilité de félin. Je me retournai et constatai que le feu s'était propagé tout le long de la corbeille et qu'il commençait à escalader les loges du premier balcon. Le trou dans la coupole activait le brasier en formant une immense cheminée.

Je me hâtai en direction des paliers en bois. Les marches montaient en zigzag et tremblaient sous mes pas. Je m'arrêtai à la hauteur du troisième étage et levai les yeux. J'avais perdu Kolvenik. Juste à cet instant, je sentis des griffes se planter dans mon dos. Je me retournai pour échapper à leur étreinte mortelle, et je vis une de ses créatures. Une balle de Claret lui avait sectionné un bras, mais elle vivait toujours. Elle avait de longs cheveux et son visage avait dû être un jour celui d'une femme. Je pointai mon revolver, mais elle ne s'arrêta pas. Subitement, j'eus la certitude d'avoir déjà vu ce visage. L'éclat des flammes révéla ce qui restait de son regard. Je sentis ma gorge se serrer.

— María ? balbutiai-je.

La fille de Kolvenik, ou la créature qui habitait sa carcasse, s'arrêta un instant, hésitante.

— María ? appelai-je de nouveau.

Rien ne demeurait de l'aura angélique dont je me souvenais. Sa beauté avait été souillée. À sa place, je voyais une bête nuisible, pathétique et terrifiante. Sa peau avait encore gardé sa fraîcheur. Kolvenik avait travaillé rapidement. J'écartai le revolver et tentai de tendre une main vers cette pauvre femme. Peut-être restait-il un espoir pour elle.

— María ? Vous me reconnaissez ? Je suis Óscar. Óscar Drai. Vous vous souvenez ?

María Shelley me regarda intensément. Un instant, une étincelle de vie brilla dans ses yeux. Je la vis verser des larmes et lever les mains. Elle contempla les grotesques serres de métal qui sortaient de ses bras et je l'entendis gémir. Je gardai ma main tendue. María Shelley fit un pas en arrière en tremblant.

Des flammes jaillirent sur une des barres qui soutenaient le grand rideau. Le tissu usé se détacha, transformé en manteau de feu. Les cordes qui l'avaient retenu se détachèrent comme des fouets embrasés qui vinrent atteindre la passerelle sur laquelle nous nous trouvions. Une ligne de feu nous sépara. Je tendis de nouveau la main à la fille de Kolvenik.

— S'il vous plaît, prenez ma main.

Elle se retira, me fuyant. Son visage ruisselait de pleurs. Sous nos pieds, la plate-forme craqua.

— María, s'il vous plaît…

La créature observa les flammes, comme si elle voyait quelque chose dedans. Elle m'adressa un dernier regard que je ne pus comprendre et attrapa la corde embrasée qui était restée sur la plate-forme. Le feu s'étendit à son bras, à son torse, à ses cheveux, à ses vêtements, à son visage. Je la vis brûler comme une figure de cire jusqu'au moment où les planches cédèrent sous ses pieds et son corps fut précipité dans l'abîme.

Je courus vers une des sorties du troisième étage. Je devais trouver Eva Irinova et sauver Marina.

— Eva ! criai-je, quand j'eus enfin découvert où elle était.

Elle ignora mon appel et continua d'avancer. Je la rejoignis dans le grand escalier de marbre. Je lui pris le bras avec force et la retins. Elle se débattit pour se libérer.

— Il tient Marina. Si je ne lui livre pas le sérum, il la tuera.

— Ton amie est déjà morte. Sors d'ici quand tu le peux encore.

— Non !

Eva Irinova regarda autour de nous. Des spirales de fumée rampaient le long des marches. Il ne restait plus beaucoup de temps.

— Je ne peux pas partir sans elle…

— Tu ne comprends pas, répliqua-t-elle. Si je te donne le sérum, il vous tuera tous les deux et personne ne pourra plus l'arrêter.

— Il ne veut tuer personne. Il veut seulement vivre.

— Tu continues de ne pas comprendre, Óscar, dit Eva. Je ne peux rien faire. Tout est entre les mains de Dieu.

Sur ces mots, elle fit demi-tour et s'éloigna.

— Personne ne peut faire le travail de Dieu, criai-je en lui rappelant ses propres paroles. Même vous !

Elle s'arrêta. Je levai le revolver et la visai. Le bruit sec du percuteur que j'armais se perdit dans l'écho de la galerie. Cela la fit se retourner.

— J'essaye seulement de sauver l'âme de Mihaïl, dit-elle.

— Je ne sais pas si vous pourrez sauver l'âme de Kolvenik, mais la vôtre, oui.

La dame me dévisagea en silence, faisant face à la menace du revolver dans mes mains tremblantes.

— Tu serais capable de tirer sur moi de sang-froid ? questionna-t-elle.

Je ne répondis pas. Je ne connaissais pas la réponse. La seule chose qui occupait mon esprit était l'image de Marina dans les griffes de Kolvenik et les quelques minutes qui restaient avant que les flammes n'ouvrent définitivement les portes de l'enfer sur le Grand Théâtre royal.

— Ton amie doit signifier beaucoup pour toi.

J'acquiesçai, et il me sembla que cette femme esquissait le sourire le plus triste de sa vie.

— Est-ce qu'elle le sait ? demanda-t-elle.

— Je l'ignore, dis-je sans réfléchir.

Elle hocha lentement la tête et je vis qu'elle sortait le flacon émeraude.

— Toi et moi, nous sommes pareils, Óscar. Nous sommes seuls et condamnés à aimer sans espoir de salut…

Elle me tendit le flacon et je baissai mon arme. Je la posai par terre et pris le flacon dans mes mains. En l'examinant, je me sentis libéré d'un énorme poids. J'allais remercier Eva, mais elle n'était déjà plus là. Et le revolver non plus.

Lorsque j'arrivai au dernier étage, tout l'édifice agonisait sous mes pieds. Je courus vers l'extrémité de la galerie à la recherche d'un accès aux cintres. Soudain, une porte en flammes fut projetée hors de son chambranle. Un fleuve de feu inonda la galerie. J'étais pris au piège. Je regardai désespérément autour de moi et ne vis qu'une issue. Les fenêtres qui donnaient sur l'extérieur. Je m'approchai des vitres noircies par la fumée et distinguai une étroite corniche. Le feu progressait dans ma direction. Les vitres volèrent en éclats comme sous l'effet d'un souffle venu de l'enfer. Mes vêtements fumaient. Je pouvais sentir les flammes lécher ma peau. J'étouffais. Je sautai sur la corniche. L'air froid de la nuit vint me frapper et je vis les rues de Barcelone qui s'étendaient à des dizaines de mètres sous moi. Cette vision était saisissante. Le feu avait complètement enveloppé le Grand Théâtre royal. Les échafaudages s'étaient écroulés et n'étaient plus que cendres. L'ancienne façade se dressait comme celle d'un majestueux palais baroque, une cathédrale de flammes au centre du Raval. Les sirènes des pompiers hurlaient comme si elles se désolaient de leur impuissance. Près de la flèche de métal, point de convergence du réseau de nerfs métalliques de la coupole, Kolvenik tenait Marina.

— Marina ! hurlai-je.

Je fis un pas vers le bord et me cramponnai instinctivement à un arceau de métal pour ne pas tomber. Il était brûlant. Je hurlai de douleur et retirai ma main. La paume noircie fumait. À cet instant, une nouvelle secousse parcourut l'édifice et je devinai ce qui allait se passer. Dans un fracas assourdissant, le théâtre explosa et il ne resta plus que le squelette de métal, intact, dénudé. Une toile d'araignée de poutrelles tendue au-dessus de l'enfer. Au centre se dressait Kolvenik. Je pus voir le visage de Marina. Elle était vivante. Je fis donc la seule chose qui pouvait la sauver.

Je pris le flacon et le brandis en direction de Kolvenik. Il écarta Marina de son corps et l'approcha du précipice. J'entendis Marina crier. Puis il tendit son autre serre ouverte dans le vide. Le message était clair. Devant moi, une poutrelle s'étendait comme un pont. J'avançai vers elle.

— Non, Óscar ! supplia Marina.

Je rivai mes yeux sur l'étroite passerelle et commençai à marcher dessus. Je sentais les semelles de mes souliers se décomposer un peu plus à chaque pas. Le vent asphyxiant qui montait du feu rugissait autour de moi. Pas à pas, sans quitter la passerelle des yeux, comme un équilibriste. Je regardai devant moi et découvris une Marina terrorisée. Elle était seule ! Mais au moment où j'allais la serrer dans mes bras, Kolvenik se dressa dans son dos pour la reprendre. Il l'agrippa de nouveau et la tint au-dessus du vide. Je sortis le flacon et agis de même, en lui faisant comprendre que s'il ne la libérait pas, je le jetterais dans les flammes. Je me souvins des paroles d'Eva Irinova. « Il vous tuera tous les deux… » J'ouvris alors le flacon et en versai quelques gouttes dans le gouffre. Kolvenik expédia Marina contre une statue de bronze et se précipita sur moi. Je sautai pour l'esquiver et le flacon me glissa des doigts.

Le sérum s'évaporait au contact du métal brûlant. Les griffes de Kolvenik l'attrapèrent au moment où il n'en restait plus que quelques gouttes. Il serra son poing de métal sur le flacon et le brisa en mille morceaux. Quelques gouttes émeraude coulèrent de ses doigts. Les flammes éclairèrent sa face, un abîme de haine et de rage. Alors il marcha vers nous. Marina me prit les mains et les serra avec force. Elle ferma les yeux et je fis de même. Je sentis l'odeur de putréfaction de Kolvenik à quelques centimètres de moi et me préparai à recevoir le choc final.

Le premier coup de feu traversa les flammes en sifflant. J'ouvris les yeux et vis la silhouette d'Eva Irinova qui avançait de la même manière que je l'avais fait. Elle braquait le revolver. Une rosace de sang noir s'était ouverte dans la poitrine de Kolvenik. Le deuxième coup de feu, plus proche, lui détruisit une main. Le troisième le toucha à l'épaule. Je fis reculer Marina. Kolvenik se tourna vers Eva en titubant. La dame en noir progressait lentement. Son arme restait impitoyablement pointée. J'entendis Kolvenik gémir. La quatrième balle lui ouvrit un trou dans le ventre. La cinquième et dernière dessina un orifice noir entre les yeux. Une seconde plus tard, Kolvenik tomba à genoux. Eva Irinova laissa choir le pistolet et courut le rejoindre.

Elle l'entoura de ses bras et le berça. Leurs yeux se rencontrèrent et je pus voir qu'elle caressait sa face monstrueuse. Elle pleurait.

— Emmène ton amie, dit-elle sans me regarder.

J'obéis. Je guidai Marina sur la passerelle jusqu'à la

corniche. De là, nous réussîmes à atteindre les toits de l'annexe et à nous mettre à l'abri du feu. Avant de perdre la dame noire de vue, nous nous retournâmes. Elle serrait toujours Mihaïl Kolvenik dans ses bras. Leurs silhouettes se découpèrent au milieu des flammes avant que celles-ci ne les enveloppent entièrement. Je crus voir la trace de leurs cendres s'éparpiller dans le vent, flottant sur Barcelone jusqu'à ce que l'aube les emporte à tout jamais.

Le lendemain matin, les journaux parlèrent du plus grand incendie qu'ait jamais connu la ville, de la vieille histoire du Grand Théâtre royal dont la disparition entraînait avec lui les derniers échos d'une Barcelone disparue. Les cendres avaient tendu un manteau sur les eaux du port. Elles continuèrent de tomber jusqu'au crépuscule. Des photographies prises de Montjuich montraient la vision dantesque d'un bûcher infernal dont les flammes montaient jusqu'au ciel. La tragédie prit une nouvelle tournure quand la police révéla qu'elle soupçonnait l'édifice d'avoir abrité des indigents, et que plusieurs d'entre eux, pris au piège, avaient été retrouvés dans les décombres. On ne savait rien de l'identité des deux corps carbonisés découverts enlacés au sommet de la coupole. La vérité, comme l'avait prédit Eva Irinova, n'avait rien à craindre des gens.

Aucun journal ne mentionna la vieille histoire d'Eva Irinova et de Mihaïl Kolvenik. Elle n'intéressait plus personne. Je me souviens de ce matin, avec Marina, devant un kiosque des Ramblas. *La Vanguardia* titrait à la une et sur cinq colonnes :

BARCELONE EST EN FEU !

Curieux et promeneurs matinaux se pressaient pour acheter la première édition en se demandant qui avait donné au ciel cette couleur d'argent. Lentement, nous nous éloignâmes en direction de la place de Catalogne, tandis que les cendres continuaient de pleuvoir autour de nous comme des flocons de neige morte.

25.

Dans les jours qui suivirent l'incendie du Grand Théâtre royal, une vague de froid s'abattit sur Barcelone. Pour la première fois depuis des années, un manteau de neige couvrit la ville, du port au sommet du Tibidabo. Marina et moi, en compagnie de Germán, nous passâmes un Noël de silences et de regards fuyants. Marina ne parlait pratiquement pas de ce qui s'était passé, et je me rendais compte qu'elle évitait ma présence et préférait se retirer dans sa chambre pour écrire. Je tuais le temps en jouant contre Germán d'interminables parties d'échecs dans le grand salon, à la chaleur de la cheminée. Je regardais la neige tomber et j'attendais le moment d'être seul avec Marina. Un moment qui n'arrivait jamais.

Germán faisait comme s'il ne voyait rien et essayait de me réconforter en entretenant la conversation.

— Marina dit que vous voulez être architecte, Óscar.

Je confirmais, sans savoir ce que je désirais réellement. La nuit, je ne dormais pas, tâchant d'ajuster dans ma tête les pièces de l'histoire que nous venions de vivre. Je tentais de chasser de ma mémoire les fantômes de

Kolvenik et d'Eva Irinova. Je me disais souvent que je devrais aller voir le vieux docteur Shelley pour tout lui raconter. Je n'eus pas le courage de l'affronter et de lui expliquer comment j'avais vu mourir la femme qu'il avait élevée comme son enfant ou comment j'avais vu brûler son meilleur ami.

Le dernier jour de l'année, la fontaine du jardin gela. J'eus peur que mes jours auprès de Marina n'approchent de leur fin. Bientôt, j'allais retourner à l'internat. Nous passâmes la nuit du Nouvel An à la lueur des bougies, en entendant sonner les cloches lointaines de l'église de la place de Sarriá. Dehors, il neigeait toujours, et j'eus l'impression que les étoiles étaient tombées du ciel sans prévenir. À minuit, nous bûmes à l'année nouvelle en parlant à voix basse. Je cherchai les yeux de Marina, mais son visage s'était réfugié dans la pénombre. Cette nuit-là, je tentai d'analyser ce que je pouvais avoir fait ou dit pour mériter ce traitement. Je percevais sa présence dans la chambre voisine. Je l'imaginais éveillée, comme une île qui s'éloigne emportée par le courant. Je frappai au mur. J'appelai en vain. Je n'eus aucune réponse.

J'emballai mes affaires et écrivis un mot. Je disais au revoir à Germán et à Marina en les remerciant de leur hospitalité. Quelque chose que je ne pouvais expliquer s'était cassé et je me sentais de trop. Au matin, je laissai le mot sur la table de la cuisine et pris le chemin de l'internat. Tandis que je m'éloignais, j'eus la certitude que Marina m'observait de sa fenêtre. Je lui dis adieu avec la main, en espérant qu'elle me voyait. Mes pas laissèrent leurs empreintes dans la neige des rues désertes.

Il manquait encore quelques jours avant le retour des autres internes. Les chambres du quatrième étage étaient des lagunes de solitude. Pendant que je défaisais mon sac, le père Seguí vint me rendre visite. Je le saluai avec la politesse de rigueur et continuai de ranger mes affaires.

— Curieuses gens, les Suisses, dit-il. Pendant que les autres cachent leurs péchés, eux ils les emballent dans du papier d'argent avec de la liqueur, un ruban, et ils les vendent à prix d'or. Le préfet m'a envoyé une énorme boîte de bonbons de Zurich et je n'ai personne ici avec qui la partager. Il va falloir que quelqu'un me prête main-forte avant que Mme Paula ne les découvre…

— Comptez sur moi, proposai-je sans conviction.

Le père Seguí alla à la fenêtre et contempla la ville déployée à nos pieds comme un mirage. Il se retourna et m'observa comme s'il pouvait lire dans mes pensées.

— Un bon ami m'a dit un jour que les problèmes sont comme les cafards. – Il avait pris le ton faussement enjoué qu'il employait quand il voulait parler sérieusement. – Dès qu'on les fait sortir à la lumière, ils prennent peur et s'en vont.

— Votre ami devait être un sage, dis-je.

— Non, répliqua le père Seguí. Mais il était sincère. Bonne année, Óscar.

— Bonne année, mon père.

Je passai les journées qui me séparaient de la reprise des cours sans presque sortir de ma chambre. J'essayais de lire, mais les mots s'envolaient des pages. Je laissai s'égrener les heures en restant à la fenêtre, d'où je contemplais dans le lointain la demeure de Germán et de Marina. Je pensai mille fois y retourner et, plus d'une, je m'aventurai jusqu'à la ruelle qui conduisait à sa grille. On n'entendait plus le gramophone de Germán à travers les arbres, rien que le vent entre les branches nues. La nuit, je revivais sans cesse les épisodes des dernières semaines jusqu'à ce que je tombe, épuisé, dans un sommeil sans repos, fiévreux et asphyxiant.

Les cours commencèrent une semaine après. C'étaient des journées de plomb, de fenêtres brouillées par la buée et de radiateurs qui coulaient goutte à goutte dans l'ombre. Mes anciens camarades et leur agitation me paraissaient d'un autre monde. Ils parlaient de cadeaux, de fêtes et de souvenirs que je ne pouvais ni ne voulais partager. Les voix de mes professeurs glissaient sur moi. Je ne parvenais pas à déchiffrer l'importance qu'avaient les élucubrations de Hume, ni comment les équations dérivées pouvaient ramener l'horloge en arrière et changer le destin d'Eva Irinova et de Mihaïl Kolvenik. Ou mon propre destin.

Le souvenir de Marina et des moments terrifiants que nous avions traversés m'empêchait de penser, de manger, de soutenir une conversation cohérente. Elle était la seule personne avec qui je pouvais partager mon angoisse, et le besoin de sa présence en vint à me causer une douleur physique. Je me consumais de l'intérieur et rien ne pouvait me soulager. Je ne fus plus bientôt qu'une silhouette grise dans les couloirs. Mon ombre se confondait avec les murs. J'attendais un mot de Marina, un signe qu'elle voulait me revoir. N'importe quoi, pourvu que cela me permette d'accourir et de briser cette distance entre nous qui semblait s'agrandir de jour en jour. Rien ne vint. Je passais mes heures à parcourir les lieux où nous étions allés ensemble. Je m'asseyais sur un banc de la place de Sarriá en espérant la voir passer…

À la fin de janvier, le père Seguí me convoqua dans son bureau. Le visage sombre et le regard pénétrant, il me demanda ce qui m'arrivait.

— Je ne sais pas, répondis-je.

— Peut-être que si nous en parlions, nous pourrions comprendre de quoi il s'agit, suggéra le père.

— Je ne crois pas, dis-je avec une brusquerie dont je me repentis sur-le-champ.

— Tu as passé une semaine en dehors de l'internat, pendant les vacances de Noël. Est-ce que je peux te demander où ?

— Avec ma famille.

Le regard de mon tuteur s'assombrit encore.

— Si c'est pour mentir, ça n'a aucun sens de poursuivre cette conversation, Óscar.

— C'est la vérité, dis-je, j'étais avec ma famille.

Février amena le soleil. Les lumières de l'hiver firent fondre le manteau de glace et de gelée blanche qui avait camouflé la ville. Cela me donna du courage et, un samedi, j'allai à la villa de Marina. Une chaîne fermait la grille. Au-delà des arbres, la vieille demeure paraissait plus abandonnée que jamais. Un instant, je crus avoir perdu la raison. Et si j'avais tout imaginé ? Les habitants de cette résidence fantôme, l'histoire de Kolvenik et de la dame en noir, l'inspecteur Florián, Luis Claret et les créatures ressuscitées… ces personnages que la main noire du destin avait fait disparaître l'un après l'autre… Marina et sa plage enchantée n'avaient-elles été qu'un rêve ?

« Nous ne nous souvenons que de ce qui n'est jamais arrivé… »

Cette nuit-là, je me réveillai en hurlant, baigné d'une sueur froide et ne sachant plus où j'étais. J'étais revenu en rêve dans les tunnels de Kolvenik. Je suivais Marina sans pouvoir la rattraper, et je finissais par la découvrir couverte d'un manteau de papillons noirs ; mais ceux-ci prenaient leur vol et ne laissaient derrière eux que le vide. Sans explication. Le démon de la destruction qui obsédait Kolvenik. Le néant après la dernière obscurité.

Lorsque le père Seguí et mon camarade JF accoururent dans ma chambre alertés par mes cris, il me fallut plusieurs secondes pour les reconnaître. Le père Seguí me prit le pouls pendant que JF m'observait, consterné, convaincu que son ami avait totalement perdu la raison. Ils ne bougèrent pas de la chambre avant d'être sûrs que je m'étais rendormi.

Le lendemain, après deux mois sans voir Marina, je décidai de retourner pour de bon à la maison de Sarriá. Je n'en ressortirais pas sans avoir obtenu une explication.

26.

C'était un dimanche brumeux. Les ombres des arbres, avec leurs branches dépouillées, dessinaient des figures squelettiques. Les cloches de l'église rythmaient mes pas. Je m'arrêtai devant la grille qui me barrait le passage. Cependant j'aperçus des empreintes de pneus dans les feuilles mortes, et je me demandai si Germán avait ressorti la Tucker du garage. J'entrai comme un voleur en passant par-dessus la grille et pénétrai dans le jardin.

La forme de la grande maison se dressait complètement silencieuse, plus obscure et plus désolée que jamais. Dans les buissons, je distinguai la bicyclette de Marina gisant comme un animal blessé. La chaîne était rouillée et le guidon rongé par l'humidité. En contemplant cette scène, j'eus l'impression de me trouver devant une ruine que n'habitaient plus que de vieux meubles et des échos invisibles. J'appelai :

— Marina ?

Le vent emporta ma voix. Je fis le tour de la maison pour trouver la porte qui communiquait avec la cuisine. Elle était ouverte. La table, vide et couverte d'une couche de poussière. J'entrai plus avant. Le silence. J'arrivai dans le grand salon des portraits. De tous côtés, la mère de Marina me regardait, mais, pour moi, c'étaient les yeux de Marina... C'est alors que j'entendis un sanglot derrière moi.

Germán était recroquevillé dans un fauteuil, immobile comme une statue. Seules les larmes qui coulaient révélaient qu'il était vivant. Je n'avais jamais vu un homme de son âge pleurer ainsi. J'en eus le sang glacé. Le regard perdu dans les portraits. Pâle. Affreusement maigre. Il avait vieilli depuis la dernière fois que je l'avais vu. Il portait un habit aussi élégant que dans mon souvenir, mais froissé et sale. Je me demandai depuis combien de jours il était ainsi. Combien de jours dans ce fauteuil.

Je m'agenouillai devant lui et lui pris la main.

— Germán...

La main était si froide que j'eus peur. Subitement, le peintre se laissa tomber dans mes bras en tremblant comme un enfant. Je sentis ma gorge devenir sèche. Je l'étreignis à mon tour et le soutins pendant qu'il pleurait sur mon épaule. Je craignis alors que les médecins ne lui aient annoncé le pire, que l'espérance des mois de vie qui lui restaient ne se soit évanouie, et je le laissai s'épancher tout en me demandant où était Marina, puisqu'elle n'était pas auprès de Germán...

Alors, le vieil homme leva les yeux. Il me suffit de voir ceux-ci pour comprendre la vérité. Et je la compris avec toute la brutale clarté qui vous réveille d'un rêve. Comme un poignard glacé et empoisonné qui se plante sans remède dans l'âme.

— Où est Marina ? demandai-je, presque en balbutiant.

Germán ne parvint pas à articuler un mot. Mais c'était inutile. J'avais lu dans ses yeux que les visites de Germán à l'hôpital San Pablo étaient fausses. Que le docteur de l'hôpital La Paz n'avait jamais examiné le peintre. Que la joie et l'espoir de Germán au retour de Madrid n'avaient rien à voir avec sa propre personne. Marina m'avait menti depuis le début.

— Le mal qui a emporté sa mère…, murmura Germán, il l'emporte aussi, cher Óscar. Il emporte aussi ma Marina…

Je sentis mes paupières se fermer comme de lourdes pierres et, lentement, le monde s'écrouler autour de moi. Germán m'étreignit de nouveau, et là, dans ce salon désolé d'une vieille demeure, je pleurai avec lui, comme un pauvre idiot, pendant que la pluie commençait de tomber sur Barcelone.

Vu du taxi, l'hôpital San Pablo m'apparut comme une cité suspendue dans les nuages, tout en tours biscornues et en dômes impossibles. Germán avait passé un costume propre avant de me suivre en silence. Je portais un paquet enveloppé dans le papier pour le cadeau le plus resplendissant que j'avais pu trouver. À notre arrivée, le médecin qui soignait Marina, un certain Damián Rojas, m'inspecta de haut en bas et me donna une série d'instructions. Je ne devais pas fatiguer Marina. Je devais me montrer positif et optimiste. C'était elle qui avait besoin de mon aide et pas l'inverse. Je ne venais pas pour pleurer et me lamenter. Je venais pour la soutenir. Si j'étais incapable de me conformer à ces règles, inutile de prendre la peine de revenir.

Damián Rojas était un jeune médecin dont la blouse blanche sentait encore la Faculté. Son ton était sévère et impatient, et il se montra fort peu poli avec moi. Dans d'autres circonstances, je l'aurais pris pour un crétin arrogant, mais quelque chose dans son comportement me souffla qu'il n'avait pas encore appris à se préserver lui-même de la souffrance de ses patients et que cette attitude était sa manière à lui de survivre.

Nous montâmes au quatrième étage et suivîmes un long couloir qui semblait ne pas avoir de fin. Il sentait l'hôpital, un mélange de maladie, de désinfectant et de désodorisant. Le peu de courage que j'avais encore dans le corps rendit son dernier souffle dès que j'eus posé le pied dans ce service. Germán entra le premier dans la chambre. Il me demanda d'attendre pendant qu'il annonçait ma visite à Marina. Il pressentait que Marina aurait préféré ne pas me voir là.

— Laissez-moi lui parler d'abord, Óscar…

J'attendis. Le corridor était une galerie interminable de portes et de voix venant d'on ne savait où. Des visages ravagés par la douleur et le malheur se croisaient en silence. Je me répétai plusieurs fois les instructions du docteur Rojas. J'étais venu pour aider. Finalement, Germán réapparut à la porte et m'adressa un signe affirmatif. J'avalai ma salive et entrai. Germán resta dehors.

La chambre était un long rectangle où la lumière s'évaporait avant d'avoir touché le sol. Vue de la baie vitrée, l'avenue Gaudí s'étendait à l'infini. Les tours de la basilique de la Sagrada Familia coupaient le ciel en deux. Il y avait quatre lits séparés par des rideaux rigides. Au travers de ceux-ci, on pouvait voir les silhouettes des autres visiteurs, comme dans un spectacle d'ombres chinoises. Marina occupait le dernier lit à droite, près de la fenêtre.

Le plus difficile, dans ces premiers instants, fut de soutenir son regard. On lui avait coupé les cheveux comme à un garçon. Sans sa longue chevelure, Marina me parut humiliée, mise à nu. Je me mordis la langue avec force pour conjurer les larmes qui me montaient de l'âme.

— On a dû les couper…, dit-elle, devinant ce que je ressentais. Pour les examens.

Je vis qu'elle avait des marques au cou et à la nuque dont la seule vue faisait mal. Je tentai de sourire et lui tendis le paquet.

— Je trouve que ça te va bien, déclarai-je en guise de bonjour.

Elle accepta le paquet et le posa sur son ventre. Je me rapprochai et m'assis près d'elle en silence. Elle me prit la main et la serra très fort. Elle avait perdu du poids. On pouvait compter ses côtes sous la chemise blanche d'hôpital. Des cercles noirs se dessinaient sous ses yeux. Ses lèvres étaient deux lignes minces et sèches. Ses yeux couleur de cendre ne brillaient plus. De ses mains hésitantes, elle ouvrit le paquet et en sortit le livre. Elle le feuilleta, intriguée.

— Toutes les pages sont blanches…

— Pour le moment, répliquai-je. Nous avons une bonne histoire à raconter, et moi je suis nul pour ça.

Elle serra le livre contre sa poitrine.

— Comment trouves-tu Germán ? questionna-t-elle.

Je mentis :

— Bien. Fatigué, mais bien.

— Et toi ? Comment vas-tu ?

— Moi ?

— Bien sûr, toi. Qui d'autre veux-tu que ce soit ?

— Je vais bien.

— Évidemment ! Surtout après avoir été chapitré par le sergent Rojas...

Je haussai les sourcils comme si je n'avais pas la moindre idée de ce dont elle me parlait.

— Tu m'as manqué, dit-elle.

— Toi aussi.

Nos paroles restèrent suspendues dans l'air. Pendant un long instant, nous nous regardâmes en silence. Je vis les traits de Marina se décomposer.

— Tu as le droit de me détester, dit-elle alors.

— Te détester ? Pourquoi je te détesterais ?

— Je t'ai menti. Quand tu es venu rendre la montre à Germán, je savais déjà que j'étais malade. J'ai été égoïste, je voulais avoir un ami... et je crois que nous nous sommes perdus en chemin.

Je détournai les yeux vers la fenêtre.

— Non, je ne te déteste pas.

Elle me prit de nouveau la main. Puis elle se dressa et me serra dans ses bras.

— Merci d'être le meilleur ami que j'aie jamais eu, me chuchota-t-elle à l'oreille.

Je sentis ma respiration s'arrêter. Je voulus partir en courant. Marina me serra encore plus fort et je priai pour qu'elle ne se rende pas compte que je pleurais. Le docteur Rojas allait m'interdire de revenir.

— Si tu me détestes juste un tout petit peu, le docteur Rojas ne se fâchera pas, dit-elle. Je suis sûr que c'est bon pour les globules blancs ou un truc comme ça.

— Alors, juste un tout petit peu.

— Merci.

27.

Dans les semaines qui suivirent, Germán Blau devint mon meilleur ami. Dès les cours terminés, à cinq heures et demie, je courais rejoindre le vieux peintre. Nous prenions un taxi pour l'hôpital et nous passions la fin de l'après-midi avec Marina jusqu'à ce que les infirmières nous mettent dehors. Au cours de ces trajets entre Sarriá et l'avenue Gaudí, j'appris que Barcelone pouvait être la ville la plus triste du monde en hiver. Les histoires de Germán et ses souvenirs finirent par devenir les miens.

Pendant les longues attentes dans les couloirs désolés de l'hôpital, Germán me fit des confidences intimes qu'il n'avait jamais faites à personne d'autre qu'à sa femme. Il me parla de ses années avec son maître Salvat, de son mariage, et me dit que seule la présence de Marina lui avait permis de survivre à la perte de son épouse. Il me parla de ses doutes et de ses peurs et me confia qu'une longue vie lui avait enseigné que tout ce qu'il tenait pour certain était pure illusion et qu'il y avait trop de leçons qui ne valaient pas la peine d'être apprises. De mon côté, je lui parlai librement et pour la première fois de Marina, de mes rêves de futur architecte alors même que j'avais cessé de croire en l'avenir. Je lui parlai de ma solitude et de l'impression que j'avais, avant de les rencontrer tous les deux, d'être perdu dans un monde où je ne me trouvais que par hasard. Germán m'écoutait et me comprenait. Il savait que mes paroles n'étaient rien d'autre qu'une tentative d'éclairer mes propres sentiments, et il me laissait faire.

Je garde un souvenir précieux de Germán Blau et des jours que nous avons partagés, chez lui et dans les couloirs de l'hôpital. Nous savions tous deux que notre seul lien était Marina et que jamais, dans d'autres circonstances, nous n'aurions échangé la moindre parole. J'ai toujours été convaincu que Marina n'était devenue ce qu'elle était que grâce à lui, et je ne peux nier que je lui dois aussi le peu que je suis, même si, parfois, il m'en coûte de l'admettre. Je conserve ses conseils et ses paroles sous clef dans le coffre de ma mémoire, persuadé qu'ils me serviront encore pour répondre à mes propres peurs et à mes propres doutes.

Ce mois de mars, il plut presque tous les jours. Marina écrivait l'histoire de Kolvenik et d'Eva Irinova dans le livre que je lui avais donné, tandis que des dizaines de médecins et autres professionnels allaient et venaient autour d'elle en se livrant à des examens et des analyses, toujours plus d'examens et plus d'analyses. C'est alors que je me rappelai la promesse que j'avais faite un jour, dans le funiculaire de Vallvidrera, et que je commençai à travailler à la cathédrale. Sa cathédrale. Je me procurai dans la bibliothèque de l'internat un livre sur Chartres et entrepris de dessiner les pièces de la maquette que j'envisageais de construire. Je les découpai d'abord dans du carton. Après mille tentatives qui me persuadèrent que je ne serais même pas capable de réaliser ainsi une simple cabine téléphonique, je fis appel à un charpentier de la rue Magenat pour qu'il découpe mes pièces dans des lames de bois.

— Qu'est-ce que tu construis là, mon garçon ? me demandait-il, intrigué. Un radiateur ?

— Une cathédrale.

Marina m'observait avec curiosité pendant que j'érigeais sa petite cathédrale sur l'appui de la fenêtre. Parfois, elle se moquait de moi, et ses plaisanteries m'empêchaient ensuite de dormir pendant des nuits.

— Est-ce que tu ne te dépêches pas un peu trop, Óscar ? Tu as l'air de penser que je vais mourir demain.

Ma cathédrale devint vite populaire chez les autres malades de la chambre et leurs visiteurs. Mme Carmen, une Sévillane de quatre-vingt-quatre ans qui occupait le lit voisin, m'adressait des regards sceptiques. Elle possédait une force de caractère capable de balayer des armées entières et un postérieur de Seat 600. Elle menait le personnel de l'hôpital au doigt et à l'œil. Elle avait été trafiquante de marché noir, chanteuse et danseuse de flamenco, contrebandière, cuisinière, vendeuse de cigarettes et Dieu sait quoi encore. Elle avait enterré deux maris et trois enfants. Une vingtaine de petits-enfants, neveux et autres parents se pressaient pour la voir et l'adorer. Elle les tenait à distance en disant que les démonstrations d'affection sont bonnes pour des demeurés. J'ai toujours eu le sentiment que Mme Carmen s'était trompée de siècle et que, si elle avait été là, Napoléon n'aurait jamais passé les Pyrénées. Et tous les autres dans la chambre – excepté son diabète – étaient du même avis.

À l'autre bout, il y avait Isabel Llorente, une dame aux allures de mannequin qui parlait en susurrant et semblait échappée d'une revue de mode d'avant la guerre. Elle passait la journée à se maquiller et à se regarder dans un petit miroir pour ajuster sa perruque. La chimiothérapie l'avait laissée comme une boule de billard, mais elle était convaincue que personne ne le savait. J'appris qu'elle avait été Miss Barcelone 1934 et la maîtresse d'un maire de la ville. Elle nous parlait toujours d'une romance qu'elle avait vécue avec un redoutable espion qui ne saurait tarder à venir la chercher pour la tirer de cet horrible endroit où on l'avait reléguée. Mme Carmen levait les yeux au ciel chaque fois qu'elle entendait ça. Personne ne venait jamais la voir et il suffisait de lui faire un compliment sur sa beauté pour qu'elle garde le sourire pendant une semaine. Un jeudi après-midi, à la fin de mars, nous trouvâmes son lit vide en arrivant. Isabel Llorente était morte le matin, sans laisser le temps à son amant de venir la sauver.

La dernière malade de la chambre était Valeria Astor, une fillette de neuf ans qui respirait grâce à une trachéotomie. Elle me souriait dès qu'elle me voyait entrer. Sa mère passait toutes les heures qu'on lui permettait à son chevet et, quand on ne le lui permettait pas, elle dormait dans les couloirs. Chaque jour, elle vieillissait d'un mois. Valeria me demandait si mon amie était écrivain et je lui disais que oui, et même qu'elle était célèbre. Une fois, elle me demanda – je ne saurai jamais pourquoi – si j'étais policier. Marina avait l'habitude de lui raconter des histoires qu'elle inventait au fur et à mesure. Ses préférées étaient, dans l'ordre, celles qui parlaient de fantômes, de princesses et de locomotives. Mme Carmen écoutait les histoires de Marina et riait de bon cœur. La mère de Valeria, une femme exténuée et simple jusqu'au désespoir dont je ne me rappelle pas le nom, tricota un châle en laine pour Marina en manière de remerciement.

Le docteur Damián Rojas passait plusieurs fois par jour. Avec le temps, j'avais fini par le trouver sympathique. Je découvris qu'il avait été au même collège que moi des années auparavant et qu'il avait failli devenir séminariste. Il avait une fiancée époustouflante qui répondait au doux nom de Lulú. Lulú arborait une collection de minijupes et de bas de soie qui vous coupaient le souffle. Elle venait le voir tous les samedis et passait souvent nous saluer en nous demandant si sa brute de docteur chéri se comportait convenablement. Il suffisait que Lulú m'adresse la parole pour que je devienne rouge comme un piment. Marina se moquait de moi et disait qu'à force de la regarder ma figure allait prendre la forme d'un porte-jarretelles. Lulú et le docteur Rojas se marièrent en avril. Quand le médecin revint de sa brève lune de miel à Minorque, une semaine plus tard, je n'étais plus que l'ombre de moi-même. Rien qu'à me regarder, les infirmières se tordaient de rire.

Voilà ce que fut mon monde pendant quelques mois. Les cours de l'internat étaient un interlude auquel je n'accordais guère d'intérêt. Rojas se montrait optimiste sur l'état de Marina. Il disait qu'elle était forte, jeune, et que le traitement donnait des résultats. Germán et moi ne savions comment l'en remercier. Nous lui offrions des cigares, des cravates, des livres et même un stylo

Montblanc. Il protestait en affirmant qu'il ne faisait que son travail, mais nous constations qu'il passait dans le service plus d'heures que tous les autres médecins.

À la fin d'avril, Marina reprit un peu de poids et de couleurs. Nous faisions des petites promenades dans le couloir et, quand le froid commença d'émigrer, nous sortîmes quelques moments dans l'enceinte de l'hôpital. Marina continuait d'écrire dans le livre que je lui avais donné, mais elle ne m'en laissait pas lire une ligne.

— Qu'est-ce que tu racontes ? demandais-je.

— C'est une question idiote.

— C'est le rôle des idiots de poser des questions idiotes. Et c'est celui des personnes intelligentes de leur répondre. Qu'est-ce que tu racontes ?

Elle ne me répondait jamais. Je supposais bien qu'écrire l'histoire que nous avions vécue ensemble avait pour elle une signification particulière. Au cours d'une de nos promenades dans l'enceinte de l'hôpital, elle me dit quelque chose qui me donna la chair de poule.

— Promets-moi que s'il m'arrive malheur, tu finiras l'histoire.

— C'est toi qui la finiras, rétorquai-je, et, en plus, tu seras obligée de me la dédier.

Pendant ce temps, la petite cathédrale en bois grandissait, et même si Mme Carmen prétendait qu'elle lui rappelait l'incinérateur à ordures de San Adrián del Besós, la flèche au-dessus du transept se dessinait parfaitement. Nous commencions, Germán et moi, à faire des plans pour emmener Marina en excursion dans son endroit préféré, la plage secrète entre Tossa et Sant

Feliu de Guíxols, dès qu'elle pourrait sortir de l'hôpital. Le docteur Rojas, toujours prudent, nous indiqua que ce pourrait être possible vers la mi-mai.

Ces semaines-là, j'appris que l'on pouvait vivre d'espoir, si faible soit-il.

Le docteur Rojas était partisan que Marina passe le plus de temps possible à aller et venir et à faire de l'exercice dans l'enceinte de l'hôpital.

— Un peu de coquetterie lui ferait du bien, dit-il.

Depuis qu'il était marié, Rojas était devenu un expert en questions féminines, ou du moins était-ce ce qu'il croyait. Un samedi, il m'envoya avec sa femme Lulú acheter un corsage en soie pour Marina. C'était un cadeau et il le payait de sa poche. J'accompagnai Lulú dans une boutique de lingerie sur la Rambla de Catalunya, près du cinéma Alexandra. Les vendeuses la connaissaient. Je suivis Lulú dans toute la boutique, en la regardant examiner un nombre incalculable de toutes sortes de dessous féminins capables de vous faire monter l'imagination au niveau de l'ébullition. C'était infiniment plus stimulant que de jouer aux échecs.

— Tu penses que ça plairait à ta fiancée ? me demandait-elle en se léchant les lèvres éclatantes de carmin.

Je ne lui dis pas que Marina n'était pas ma fiancée. J'étais fier que quelqu'un puisse le croire. Et puis l'expérience d'acheter de la lingerie féminine avec Lulú s'avéra si enivrante que je me bornai à dire niaisement oui à tout. Quand j'expliquai ça à Germán, il rit de bon cœur et m'avoua que, lui aussi, il trouvait l'épouse du docteur gravement dangereuse pour la santé. C'était la première fois depuis des mois que je le voyais rire.

Un samedi matin, pendant que nous nous préparions pour aller à l'hôpital, Germán me pria de monter dans la chambre de Marina pour voir si je pourrais y trouver un flacon de son parfum préféré. En cherchant dans les tiroirs de la commode, je tombai, au fond, sur un feuillet plié. Je l'ouvris et reconnus tout de suite l'écriture de Marina. Elle parlait de moi. Le papier était plein de mots noircis et de phrases rayées. Seules avaient survécu ces lignes :

Mon ami Óscar est un de ces princes sans royaume qui errent dans l'attente du baiser qui les transformera en crapaud. Il comprend tout à l'envers et c'est pour ça que je l'aime tant. Les gens qui croient qu'ils comprennent tout comme il faut font tout dans l'autre sens, ils croient aller à droite et vont à gauche, et moi qui suis gauchère, je sais de quoi je parle. Il me regarde et pense que je ne m'en aperçois pas. Il s'imagine que je m'évaporerai s'il me touche, et que, s'il ne le fait pas, c'est lui qui s'évaporera. Il me met sur un piédestal si haut qu'il ne sait pas comment y monter. Il pense que mes lèvres sont la porte du paradis, mais il ne sait pas qu'elles sont empoisonnées. Je suis tellement lâche que, pour ne pas le perdre, je ne le lui dis pas. Je fais semblant de ne rien voir et d'être vraiment capable de m'évaporer…

Mon ami Óscar est un de ces princes qui feraient bien de se tenir éloignés des contes et des princesses qui les habitent. Il ne sait pas que c'est le Prince charmant qui doit poser un baiser sur la Belle au bois dormant pour l'éveiller de son sommeil éternel, mais c'est parce que Óscar ignore que tous les contes sont des mensonges, alors que tous les mensonges ne sont pas des contes. Les princes ne sont pas charmants, et les dormantes, si belles soient-elles, ne se réveillent jamais de leur sommeil. Il est le meilleur ami que j'aie jamais eu et si, un jour, je rencontre l'enchanteur Merlin, je le remercierai pour l'avoir mis sur mon chemin.

Je repliai le feuillet et descendis rejoindre Germán. Il avait mis une cravate particulièrement élégante et était plus animé que jamais. Il me sourit et je lui rendis son sourire. Ce jour-là, durant le parcours en taxi, le soleil resplendissait. Barcelone avait revêtu ses plus beaux atours, émerveillant les touristes, et même les nuages s'arrêtaient pour la regarder. Rien de cela ne parvint à dissiper l'inquiétude que ces lignes avaient ancrée dans mon esprit. Nous étions le 1er mai 1980.

Rojas nous accompagna en personne à l'USI. Marina était prise dans une bulle de tubes et de machines en acier plus monstrueuse et plus réelle que toutes les inventions de Mihaïl Kolvenik. Elle gisait là comme un simple morceau de chair livré à la seule protection magique de ces appareils. Alors je vis le véritable visage du démon qui avait tourmenté Kolvenik et je compris sa folie.

Je me souviens que Germán éclata en sanglots et qu'une force incontrôlable me chassa de ce lieu. Je courus à perdre haleine, interminablement, et finis par me retrouver dans des rues bruyantes remplies de visages anonymes qui ignoraient ma souffrance. Je vis autour de moi un monde qui se moquait bien du sort de Marina. Un univers où la vie n'était qu'une simple goutte d'eau dans les vagues. Il ne me restait plus qu'un endroit où aller.

Le vieil immeuble des Ramblas était toujours là dans son puits de noirceur. Le docteur Shelley m'ouvrit la porte sans me reconnaître. L'appartement était plein de débris et sentait le renfermé. Le docteur me regarda avec des yeux égarés. Je le suivis dans son bureau et le fis asseoir près de la fenêtre. L'absence de María flottait dans l'air, brûlante. Toute l'arrogance et le mauvais caractère du docteur s'étaient évanouis. Il ne restait plus qu'un pauvre vieillard, seul et désespéré.

— Il me l'a prise, me dit-il, il me l'a prise…

J'attendis respectueusement qu'il se calme. Finalement, il leva les yeux et m'identifia. Il me demanda ce que je voulais, et je le lui dis. Il m'observa posément.

— Il n'y a plus aucun flacon du sérum de Mihaïl. Ils ont été détruits. Je ne peux pas te donner ce que je n'ai pas. Mais si je l'avais, je te rendrais un bien mauvais service. Et tu commettrais une erreur en t'en servant pour ton amie. La même erreur que celle qu'a commise Mihaïl...

Ses paroles mirent du temps à pénétrer en moi. Nous n'avons d'oreilles que pour ce que nous voulons entendre, et je ne voulais pas entendre ça. Shelley soutint mon regard sans broncher. Je me doutais bien qu'il avait reconnu mon désespoir et que les souvenirs que cela faisait remonter en lui le terrifiaient. Je me surpris moi-même en comprenant que si cela n'avait dépendu que de moi, j'aurais sur-le-champ pris le même chemin que Kolvenik. Plus jamais je ne le jugerais.

— Le territoire des êtres humains est la vie, dit le docteur. La mort ne nous appartient pas.

Je me sentais affreusement fatigué. J'étais prêt à me rendre, mais je ne savais à qui. Je me tournai pour partir. Avant que je ne sorte, Shelley me rappela.

— Tu étais là-bas, n'est-ce pas ?

J'acquiesçai.

— María est morte en paix, docteur.

Je vis les larmes briller dans ses yeux. Il me tendit la main et je la lui serrai.

— Merci.

Je ne devais jamais le revoir.

À la fin de la semaine, Marina reprit connaissance et sortit de l'USI. On l'installa dans une chambre du deuxième étage qui donnait sur le quartier de Horta. Elle était seule. Elle n'écrivait plus dans son livre et pouvait tout juste se pencher pour voir sa cathédrale presque terminée sur l'appui de la fenêtre. Rojas demanda l'autorisation d'opérer une ultime série d'examens. Il gardait encore espoir. Quand il nous en annonça les résultats dans son bureau, sa voix se brisa. Après des mois de lutte, il s'effondrait devant l'évidence, et ce fut Germán qui le soutint en lui tapotant les épaules.

— Je ne peux plus rien faire, je ne peux plus rien faire... Pardonnez-moi..., gémissait Damián Rojas.

Deux jours plus tard, nous ramenâmes Marina à Sarriá. Les médecins ne pouvaient plus rien pour elle. Nous fîmes nos adieux à Mme Carmen, à Rojas et à Lulú, qui n'arrêtait pas de pleurer. La petite Valeria me demanda où nous emmenions ma fiancée, la célèbre écrivain, et si elle ne lui raconterait plus d'histoires.

— À la maison. Nous l'emmenons à la maison.

Je quittai l'internat un lundi, sans aviser personne ni dire où j'allais. Je ne pensais même pas qu'on remarquerait mon absence. Cela m'était complètement égal. Ma place était près de Marina. Nous l'installâmes dans sa chambre. Sa cathédrale, désormais achevée, lui tenait compagnie près de la fenêtre. Cela reste la plus belle chose que j'aie jamais construite. Nous nous relayions, Germán et moi, pour la veiller vingt-quatre heures sur vingt-quatre. Rojas nous avait dit qu'elle ne souffrirait pas, qu'elle s'éteindrait lentement comme une flamme sous le vent.

Jamais Marina ne me parut plus belle qu'en ces derniers jours dans la grande demeure de Sarriá. Ses cheveux avaient repoussé, plus brillants qu'avant, avec des mèches argentées. Même ses yeux étaient plus lumineux. Je ne sortais presque pas de sa chambre. Je voulais profiter de chaque heure, de chaque minute que je pouvais encore passer près d'elle. Nous restions souvent des heures enlacés, sans parler, sans bouger. Une nuit, celle de jeudi, Marina m'embrassa sur les lèvres et me murmura qu'elle m'aimait et que, quoi qu'il puisse arriver, elle m'aimerait toujours.

Elle mourut au matin suivant, en silence, comme l'avait prédit Rojas. À l'aube, avec les premières lumières du jour, Marina me serra la main très fort, sourit à son père et, dans ses yeux, la flamme s'éteignit pour toujours.

Nous fîmes le dernier voyage avec Marina dans la vieille Tucker. Germán conduisit silencieusement jusqu'à la plage, comme nous l'avions fait des mois plus tôt. Le jour était si lumineux que je voulus croire que la mer qu'elle aimait tant avait revêtu ses habits de fête pour la recevoir. Nous nous arrêtâmes sous les arbres et descendîmes sur le rivage pour disperser ses cendres.

Au retour, Germán, brisé de l'intérieur, m'avoua qu'il se sentait incapable de conduire jusqu'à Barcelone. Des pêcheurs qui passaient sur la route acceptèrent de nous déposer à la gare. Quand nous débarquâmes à Barcelone dans la gare de France, cela faisait déjà sept jours que j'avais disparu. Pour moi, il me semblait que cela faisait sept ans.

Je quittai Germán sur le quai après l'avoir serré dans mes bras. Aujourd'hui encore, j'ignore tout du chemin qu'il a suivi et de ce qu'a été son sort. Nous savions tous les deux que nous ne pourrions plus jamais nous regarder dans les yeux sans y voir Marina. Je le vis s'éloigner, un léger coup de crayon s'estompant sur la toile du temps. Peu après, un policier en civil me reconnut et me demanda si je m'appelais Óscar Drai.

cette plage secrète face à la Méditerranée. Au loin, l'ermitage de Sant Elm montait toujours la garde. J'ai retrouvé la vieille Tucker de mon ami Germán. Curieusement, elle est toujours là, entre les pins où elle finit ses jours.

Je suis descendu sur le rivage et me suis assis sur le sable, où, des années auparavant, nous avions dispersé les cendres de Marina. La même lumière que ce jour-là flambait dans le ciel et j'ai senti sa présence, intense. J'ai compris que je ne pouvais ni ne voulais plus fuir davantage. J'étais rentré à la maison.

Dans les derniers jours, j'avais promis à Marina que, si elle ne pouvait le faire, je finirais cette histoire. Ce livre en blanc que je lui avais donné m'a accompagné durant toutes ces années. Ses mots seront les miens. Je ne sais si je saurai faire honneur à ma promesse. Parfois je doute de ma mémoire et je me demande si je serai capable de ne me souvenir que de ce qui n'est jamais arrivé.

Marina, tu as emporté toutes les réponses avec toi.

NOTE DE L'AUTEUR

Cher lecteur

Le premier roman que j'ai publié, *El Príncipe de la Niebla*[1], marque le début de ma carrière d'écrivain en 1992. À l'origine, le livre était présenté comme un roman « pour la jeunesse ». Les années ont passé, et j'éprouve toujours la même difficulté à comprendre ce que ce terme signifie exactement. Je considère que j'écris pour des gens qui aiment lire, et je ne demande jamais une photo d'identité pour vérifier leur âge, leur race ou leur sexe.

Pour être honnête, j'avais tendance quand j'étais adolescent à éviter les livres qui portaient la mention « pour la jeunesse ». L'idée que je me faisais d'un livre destiné à des jeunes gens était exactement la même que celle d'un livre destiné à n'importe quel type de lecteurs : on s'immerge totalement dedans. Dans le cas de *Marina*, comme dans celui du *Príncipe de la Niebla*, j'ai essayé d'écrire le genre de livre que j'aimais lire dans mes années d'adolescence, mais aussi un livre qui puisse

1. *Le Prince de la brume*, pas encore traduit en français.

continuer à m'intéresser quel que soit mon âge, vingt-trois, quarante ou quatre-vingt-trois ans.

J'ai eu la chance, depuis la publication de mon premier roman en Espagne en 1993, que mes livres soient bien reçus, par des jeunes autant que par des moins jeunes. J'espère que ceux de mes lecteurs qui ont apprécié ma dernière œuvre, *Le Jeu de l'ange,* auront envie d'explorer ces histoires de mystère et d'aventure. Et, à tous mes nouveaux lecteurs, je souhaite d'y prendre autant de plaisir que s'ils commençaient eux-mêmes leurs propres aventures dans le monde des livres.

Bons voyages !

Carlos Ruiz Zafón,
décembre 2009

IMPRIMÉ AU CANADA

Dépôt légal : janvier 2011